U0242912

「十三五」国家重点出版物出版规划项目

中国中药资源大典

6

黄璐琦 / 总主编
凡 强 赵万义 廖文波 潘超美 / 主 编

北京科学技术出版社

图书在版编目（CIP）数据

中国中药资源大典. 广东卷. 6 / 凡强等主编.
北京 : 北京科学技术出版社, 2024. 6. -- ISBN 978-7
-5714-4008-4

Ⅰ. R281.4

中国国家版本馆CIP数据核字第2024HD4185号

责任编辑：侍　伟　李兆弟　王治华　庞璐璐　吕　慧
责任校对：贾　荣
图文制作：樊润琴
责任印制：李　茗
出 版 人：曾庆宇
出版发行：北京科学技术出版社
社　　址：北京西直门南大街16号
邮政编码：100035
电　　话：0086-10-66135495（总编室）　0086-10-66113227（发行部）
网　　址：www.bkydw.cn
印　　刷：北京博海升彩色印刷有限公司
开　　本：889 mm × 1 194 mm　1/16
字　　数：843千字
印　　张：38
版　　次：2024年6月第1版
印　　次：2024年6月第1次印刷
审 图 号：GS京（2023）1758号
ISBN 978-7-5714-4008-4

定　　价：490.00元

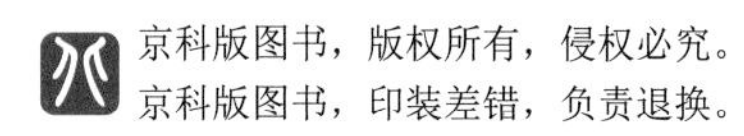

《中国中药资源大典·广东卷》

总编写委员会

总主编 黄璐琦（中国中医科学院）

主　编 潘超美（广州中医药大学）

叶华谷（中国科学院华南植物园）

廖文波（中山大学）

夏念和（中国科学院华南植物园）

晁　志（南方医科大学）

黄海波（广州中医药大学）

严寒静（广东药科大学）

童毅华（中国科学院华南植物园）

童　毅（广州中医药大学）

赵万义（中山大学）

凡　强（中山大学）

编　委（按姓氏笔画排序）

凡　强（中山大学）

王亚荣（中山大学）

王英强（华南师范大学）

邓旺秋（广东省科学院微生物研究所）

叶华谷（中国科学院华南植物园）

叶幸儿（广东药科大学）

付　琳（中国科学院华南植物园）

白　琳（中国科学院华南植物园）

刘基柱（广东药科大学）

严寒静（广东药科大学）

李泰辉（广东省科学院微生物研究所）

肖凤霞（广州中医药大学）

何春梅（广东省林业科学研究院）

张宏伟（南方医科大学）

陈　娟（中国科学院华南植物园）

陈秋梅（广州中医药大学）

林哲丽（韶关学院）

赵万义（中山大学）

秦新生（华南农业大学）

夏　静（广州白云山和记黄埔中药有限公司）

夏念和（中国科学院华南植物园）

晁　志（南方医科大学）

黄海波（广州中医药大学）

梅全喜（深圳市宝安区中医院）

彭泽通（广州中医药大学）

童　毅（广州中医药大学）

童家赟（广州中医药大学）

童毅华（中国科学院华南植物园）

曾飞燕（中国科学院华南植物园）

楼步青（广东省中医院）

廖文波（中山大学）

潘超美（广州中医药大学）

《中国中药资源大典·广东卷 6》

编写委员会

主　编 凡　强　赵万义　廖文波　潘超美

副主编 叶华谷　彭泽通　曾飞燕　陈志晖

编　委（按姓氏笔画排序）

凡　强　王　妍　王亚荣　叶华谷　叶育石　刘克明　刘忠成　李绪杰
沈静娜　张　忠　张代贵　张记军　张星月　陈功锡　陈再雄　陈志晖
陈京锐　陈春莲　陈秋梅　赵万义　龚琼凤　梁文星　彭泽通　曾飞燕
廖文波　熊亲戴　潘超美

摄　影 叶华谷　凡　强　赵万义　廖文波　陈志晖　张记军　张　忠　潘超美
陈再雄　陈功锡　张代贵

《中国中药资源大典·广东卷 6》

编辑委员会

黄序

中药资源是中医药事业传承和发展的物质基础，是关系国计民生的战略性资源。为促进中药资源保护、开发和合理利用，国家中医药管理局组织开展了第四次全国中药资源普查。广东省得天独厚的地理环境，孕育了丰富多样、具有岭南特色的中药资源。《中国中药资源大典·广东卷》对广东省中药资源现状的总结，也是广东省中药资源普查成果的集中体现。

本书分上、中、下篇，上篇介绍了广东省中药资源概况、中药资源普查工作及中药资源产业现状等，中篇介绍了广东省 23 种道地、大宗中药资源的栽培面积、分布区域、资源利用等，下篇为广东省 3 514 种中药资源的基本信息。本书充分反映了广东省中药资源的最新研究成果，内容丰富，体例新颖，图文并茂，为一部具有较高学术价值和实用价值的工具书。

相信本书的出版可为进一步开展中药品质研究与评价、推动中药产业的健康和可持续发展、为地方制定中药产业政策提供支撑，为推动区域经济社会高质量发展贡献力量。

欣闻本书即将付梓，乐之为序。

中国工程院院士

中国中医科学院院长

第四次全国中药资源普查技术指导专家组组长

2024 年 4 月

中药资源是中医药事业发展的物质基础，国家高度重视中药资源保护及其可持续利用。我国已开展了4次全国范围的中药资源普查，其中第四次全国中药资源普查工作起止时间为2011—2021年。第四次全国中药资源普查确认了我国共有18 817种药用资源，与第三次普查相比增加了6 000多种，其中，3 151种为我国特有的药用植物，464种为需要保护的物种；还发现196个新物种，其中约100种具有潜在药用价值。

广东省第四次中药资源普查工作于2014年开始、2021年11月结束，历时近8年，普查区域实现了对全省全部县级行政区域的覆盖。为推广中药资源普查成果，更好地服务于广东省中药产业发展，广东省第四次全国中药资源普查（试点）工作办公室（以下简称广东省普查办）、广东省中药资源普查（试点）工作技术专家指导委员会组织相关专家、学者和技术人员，从广东省中药资源概况、重点中药资源情况、中药资源监测体系建设、中药材种植生产区划、传统医药知识收集、种质资源圃建设等方面入手，进行了数据统计和细致的整理研究工作，汇总了广东省在中药资源保护、科研和产业等领域取得的一系列成果。一是基本摸清了广东省中药资源家底，为编制《中国中药资源大典·广东卷》提供了翔实的数据。本次普查共发现药用植物3 443种，其中涵盖栽培药用植物185种；发现新种8种，新分布记录属和新分布记录种共11种；对区域内水生和耐盐药用资源、菌类药用资源、瑶药资源等进行了专项调研，构建了广东省岭南中药资源信息管理系统。二是建立了广东省中药资源动态监测信息和技术服务体系，形成了区域内中药资源动态监测网络，与国家中药资源动态监测信息和技术服务体系实现了数据共享，形成了长效机制，可实时掌握广东省中药材的产量、流通量、价格和质量等的变化趋势，促进中药产业的健康发展。广东省中药资源普查过程中开展了区域内重点道地药材品种的标准化建设，开展了中药材产业扶贫行动，使中药材生产成为推进乡村振兴的重要抓手，为加快区域中药材产业的发展贡献了力量。三是建立了省级中药材种子种苗繁育基地、省中药药用植物重点物种保存圃和种质资源圃，保存广东省活体中药药用植物种质资源 2 639 份，从源头上保证了中药材的质量，促进了珍稀、濒危、道地药材的繁育和保护，凸显了中药资源保护和可持续利用工作的重要性。四是在汇总广东省中药资源相关传统知识调查成果的基础上，梳理了广东省岭南地区独特地理气候条件下的人群体质特点，形成了具有地域特色的岭南中医药学体系亮点，如广东凉茶、罗浮山百草油、沙溪凉茶、冯了性风湿跌打药酒、跌打万花油、乌鸡白凤丸等具有岭南特色的中药配伍应用；整理出岭南民间特色治疗验方 554 首，挖掘、传承、保护与中药资源相关的传统知识。五是汇编出版了《广东省中药资源志要》《梅州中草药图鉴》《乳源瑶医瑶药志要》《岭南采药录考释》等专著。

《中国中药资源大典·广东卷》是对广东省第四次中药资源普查工作成果的全面汇总，是全体普查人员经过多年努力，获得的广东省中药资源现状的第一手资料。《中国中药资源大典·广东卷》由广州中医药大学、中国科学院华南植物园、中山大学、南方医科大学、广东药科大学、华南农业大学等 17 个普查技术单位的 200 多位普查技术人员共同编撰完成。全书分为上篇、中篇、下篇，共 12 册。上篇全面介绍了广东省中药资源生态环境、分布概况，梳理了广东省中药资源和产业现状，对比广东省第三次中药资源普查结果，对广东省野生药用资源分布、人工种植（养殖）中药资源物种的变化、中药材市场流通情况、岭南民间用药特点等进行了分析，并提出了广东省中药资源区划和发展建议；中篇详细地介绍了广东省 23 种道地、大宗中药资源的资源情况、分布情况、栽培情况、采收应用等内容，为中药材产业的高质量发展提供了技术服务，为中药材生产布局提供了参考；下篇对广东省境内 3 514 种中药资源物种（药用植物、药用动物、药用矿物）做了图文并茂的介绍，展现了广东省中药资源领域的最新数据信息成果。《中国中药资源大典·广东卷》的出版客观真实地反映了广东省中药资源的整体情况，对广东省乃至全国中药资源的保护、合理利用、开发、科研、教学以及产业规划等将发挥重要的指导作用。

《中国中药资源大典·广东卷》编写委员会

2024 年 3 月

前言

广东省位于我国大陆最南端，北回归线横穿其中部。全省地势北高南低，山脉大多呈东北—西南走向。气候从北向南分别为中亚热带、南亚热带和热带气候，受海洋上的湿润气流影响，夏季高温多雨、多台风，冬季多干旱且有冷空气侵袭。广东省年平均气温为18.9 ~ 23.8 ℃，气温呈南高北低的特点，南端雷州半岛年平均气温最高，为23.8 ℃，粤北山区年平均气温最低，为18.9 ℃；历史极端最高气温为42.0 ℃，极端最低气温为 −7.3 ℃。

广东省光、热、水资源丰富，得天独厚的地理环境和气候为生物的生长创造了优越的条件，动植物种类繁多，药用植物资源非常丰富。广东省的植被类型有纬度地带性分布的北亚热带季雨林、南亚热带季风常绿阔叶林、中亚热带典型常绿阔叶林和沿海的热带红树林，还有非纬度地带性分布的常绿落叶阔叶混交林、常绿针阔叶混交林、常绿针叶林、竹林、灌丛和草坡，以及水稻、甘蔗和茶树等栽培植被。

2014 年，广东省启动了第四次中药资源普查工作，到 2021 年 11 月普查结束。广东省本次中药资源普查共记录调查信息 445 240 条、中药资源 4 692 种（已确认的药用植物 3 443 种），调查中药材栽培面积 14.3 万 hm^2，涵盖药用植物栽培品种 185 种；记录病虫害种类 351 种，调查市场主流药材品种 852 种，记录传统医药知识信息 629 条。通过统计分析现有典籍专著和文献记载的广东省药用资源种类信息，结合广东省本次中药资源普查结果，确定广东省现有中药资源种类为 3 587 种。广东省本次中药资源普查调查代表区域 368 个，调查样地 4 056 个，调查样方套 20 273 个，记录有蕴藏量的中药资源 330 种，收集药材标本 4 977 份、中药材种质资源 2 639 份。此外，本次普查还对广东省菌类和水生、耐盐等药用植物资源进行了专项调研，收载大型药用真菌 217 种，隶属 26 科 46 属；记录水生药用植物资源 160 种、耐盐药用植物资源 269 种。

广东省是我国南药的主产区，与第三次中药资源普查相比，其道地药材和岭南特色药材的生产现状发生了很大的变化。广东省目前生产的道地药材品种主要有春砂仁、何首乌、广藿香、巴戟天、白木香、檀香、穿心莲、肉桂、广陈皮、芡实、山柰、益智等，珍稀野生药材品种有金毛狗、桫椤、青天葵、华南龙胆、蛇足石杉、金线兰等，岭南特色药材品种有莪术、红豆蔻、草豆蔻、甘葛、广山药、猴耳环、溪黄草、凉粉草、九节茶、鸡骨草、广金钱草、牛大力、千斤拔、黑老虎、铁皮石斛等。

广东省是中成药、中药配方颗粒、凉茶的生产大省，每年消耗的中药原料达数千吨，而许多中药原料主要来源于野生资源，导致野生药用资源品种数和蕴藏量均急剧减少。为了保证国家基本药物所需中药原料的可持续利用，广东省大部分制药企业建立了配套的中成药原料基地，还建立了野生中药资源转家种的药材原料基地，主要种植品种有黑老虎、吴茱萸、猴耳环、九里香、白花蛇舌草、溪黄草、紫茉莉、岗梅、毛冬青、两面针、三桠苦、草珊瑚、南板蓝根、山银花、鸡血藤、虎杖、龙脷叶、金樱子、金毛狗、钩藤、土牛膝、佩兰、千年健、山豆根、桃金娘、五指毛桃、无花果、地胆草、紫花杜鹃、裸花紫珠等稀缺原料药材，这些药材种植基地的建立对广东省中药资源的保护和可持续利用具有重要意义。

广东省第四次中药资源普查为广东省中药材产业提供了准确的资源信息，已有的成果数据信息可以更好地服务于产业发展，同时也为区域内主管部门制定相关法规政策提供了数据支撑。我们对广东省近 8 年来的普查数据进行了系统、严谨的梳理和统计，这对促进区域内中药资源的保护和可持续利用、促进地方中药资源产业和国民经济的发展具有重要意义。

《中国中药资源大典 · 广东卷》编写委员会

2024 年 3 月

（1）本书分为上篇、中篇、下篇，共12册。上篇内容包括广东省自然地理概况、广东省第四次中药资源普查实施情况、广东省第四次中药资源普查成果、广东省中药资源发展存在的问题与建议；中篇重点介绍广东省23种道地、大宗中药资源；下篇是各论，共收载植物、动物、矿物等药用资源3 514种，以药用资源物种为单元进行介绍。本书主要参考《中国药典》《中国药材学》《中华本草》《中国植物志》《全国中草药汇编》等，以及历代本草文献等权威著作。为检索方便，本书在第1册正文前收录1～12册总目录，在页码前均标注了其所在册数（如“[1]”）。同时，还在第12册正文后附有1～12册所录中药资源的中文笔画索引、拉丁学名索引。

（2）植物分类系统。蕨类植物采用秦仁昌1978年分类系统。裸子植物采用郑万钧1975年分类系统。被子植物采用哈钦松分类系统。少数类群根据最新研究成果稍作调整；属、种按拉丁学名的字母顺序排列。

（3）本书下篇各品种按照其科名及属名、物种名、药材名、形态特征、生境分布、资源情况、采收加工、药材性状、功能主治、用法用量、凭证标本号、附注依次著述，资料不全者项目从略。

1）科名及属名。该项包括科、属的中文名和拉丁学名。

2）物种名。该项包括中文名和拉丁学名。

3）药材名。该项介绍药用部位及药材的别名。未查到药材别名的则内容从略。

4）形态特征。该项简要介绍物种的形态。

5）生境分布。该项介绍物种的生存环境及其在广东省的分布区域，栽培品种则介绍其主产地及道地产区。分布中的地级市专指其城区范围，不涵盖其管辖的县域范围，正文中采用“地级市（市区）”的形式表示，如“茂名（市区）”。

6）资源情况。该项介绍物种的蕴藏量情况，野生资源以丰富、较丰富、一般、较少、稀少表示，并说明药材来源于栽培资源还是野生资源。

7）采收加工。该项简要介绍药材的采收时间、采收方式及加工方法。

8）药材性状。该项主要介绍药材的性状特征。对于民间习用的鲜草药或冷背药材，则此项内容从略。

9）功能主治。该项介绍药材的味、性、毒性、归经、功能和主治。

10）用法用量。该项介绍药材的使用方法及用量范围。

11）凭证标本号。该项为第四次全国中药资源普查收载的物种标本号或补充收录物种的馆藏标本号。依据文献记载补充的经确认广东省已有、普查未收录的物种同时附上中国科学院华南植物园标本馆（IBSC）、深圳市中国科学院仙湖植物园植物标本馆（SZG）、广东省韩山师范学院植物标本室（CZH）等的标本号。补充收录的动物和矿物药用资源的标本号引用《广东中药志》《广东省中药材标准》《中国药用动物志》等文献的记录；菌类药用资源的标本号引用广东省科学院微生物研究所标本馆（GDGM）的标本号。

12）附注。该项简述物种的品种情况、民间使用情况、资源利用情况等内容。

目录

Contents

被子植物

蝶形花科 Papilionacese 相思子属 *Abrus*

鸡骨草 *Abrus cantoniensis* Hance

| 药 材 名 | 广州相思子（药用部位：摘除荚果的植株）。

| 形态特征 | 攀缘灌木。枝被白色柔毛，老时毛脱落。小叶先端截形或稍凹缺，具细尖，上面被疏毛，下面被糙伏毛。总状花序腋生；花聚生于花序总轴的短枝上；花冠紫红色或淡紫色。荚果长圆形，扁平，长约3 cm，宽约1.3 cm，先端具喙，被稀疏的白色糙伏毛，成熟时浅褐色；种子黑褐色，种阜蜡黄色，中间有孔，边具长圆状环。花期8月，果期10月。

| 生境分布 | 生于海拔约200 m的疏林、灌丛或山坡。广东各地均有分布。

| 资源情况 | 野生资源较少，栽培资源丰富。药材来源于野生和栽培。

| 采收加工 | 全年均可采收，摘除荚果（因荚果有毒），将藤叶缠绕于主根，扎把晒干。

| 药材性状 | 本品根呈圆柱形或近圆锥形，弯曲不直，根头部常呈结节状，直径 0.8 ~ 1.2 cm，常附有细小侧根，灰褐色或微带棕色，主根坚硬，不易折断，断面淡黄色。茎枝丛生，表面红褐色，光滑。偶数羽状复叶，近无柄，先端近平顶而有小凸尖，基部浅心形，表面疏被硬毛，背面密生平贴硬毛，叶片较易脱落。气微，味淡。以茎红褐色、叶青绿者为佳。

| 功能主治 | 甘、淡，凉。利湿退黄，清热解毒，疏肝止痛。用于急、慢性黄疸性肝炎，肝硬化腹水，胃痛，风湿骨痛，毒蛇咬伤。

| 用法用量 | 内服煎汤，30 ~ 60 g；或代茶饮。

| 凭证标本号 | 445222180413010LY。

蝶形花科 Papilionacese 相思子属 *Abrus*

毛相思子 *Abrus mollis* Hance

| 药 材 名 | 毛鸡骨草（药用部位：全株。别名：鸡骨草、油甘藤、蜻蜓藤）。

| 形态特征 | 木质小藤本。高 1 ~ 2 m。主根粗壮。偶数羽状复叶互生；托叶成对着生，线状披针形；小叶上面被疏柔毛，下面被糙伏毛；小叶柄短。总状花序腋生；花冠淡紫红色，长约 8 mm。荚果长 2.2 ~ 3 cm，宽 7 ~ 8 mm，先端具喙，被淡黄色稀疏短柔毛，有种子 4 ~ 7；种子长圆形，扁平，黑褐色或黄褐色，周围绕以蜡黄色隆起的种阜。花期 7 ~ 8 月，果期 10 ~ 12 月。

| 生境分布 | 生于疏林或灌丛中。分布于广东乳源、新丰、恩平、徐闻、德庆、高要、惠东、大埔、海丰、阳春、饶平、新兴、云安、罗定及广州（市区）、深圳（市区）、珠海（市区）、茂名（市区）、阳江（市区）、

惠州（市区）等。

| **资源情况** | 野生资源较少，栽培资源丰富。药材来源于野生和栽培。

| **采收加工** | 夏、秋季采收，晒干。

| **功能主治** | 甘、淡，凉。利湿退黄，清热解毒，疏肝止痛。用于咽喉肿痛，肝胆实热。

| **用法用量** | 内服煎汤，3 ~ 9 g。

| **凭证标本号** | 445222180413010LY。

蝶形花科 Papilionacese 相思子属 *Abrus*

相思子 *Abrus precatorius* Linn.

| 药 材 名 | 相思豆（药用部位：种子、根、藤茎、叶。别名：红豆）。

| 形态特征 | 藤本。茎多分枝，疏被白色糙伏毛。羽状复叶；小叶 8 ~ 13 对，膜质，对生，先端截形，具小尖头，叶面无毛，背面被稀疏白色糙伏毛。总状花序腋生，长 3 ~ 8 cm，花序轴粗短；花萼钟状；花冠紫色。荚果长圆形，长 2 ~ 3.5 cm，宽 0.5 ~ 1.5 cm，成熟时开裂；种子椭圆形，平滑，具光泽，上部鲜红色，下部黑色。花期 3 ~ 6 月，果期 9 ~ 10 月。

| 生境分布 | 生于疏林中或灌丛中。分布于广东台山、信宜、博罗、连山及广州（市区）等。

| 资源情况 | 野生资源较少，栽培资源丰富。药材来源于野生和栽培。

| 采收加工 | 夏、秋季采收，晒干。

| 药材性状 | 本品种子呈椭圆形，间有近球形，长 0.5 ~ 0.7 cm，宽 0.4 ~ 0.5 cm。表面甚平滑，有光泽，一端朱红色，另一端黑色。种脐白色，凹点状，位于黑色的一端。质坚硬，不易破碎，破开后内有 2 淡黄色、半圆形子叶。气微，味微涩，有豆腥气。以粒大饱满、坚实、色鲜光亮者为佳。

| 功能主治 | 种子，苦、辛，平；有大毒。清热解毒，祛痰，杀虫。用于痈疮，腮腺炎，疥癣，风湿骨痛。根、藤茎、叶，甘，平。清热解毒，利尿。用于咽喉肿痛，支气管炎，黄疸，肝炎。

| 用法用量 | 种子，外用适量，捣敷或研末调油涂。根、藤茎、叶，内服煎汤，6 ~ 15 g。

| 凭证标本号 | 440781190826003LY。

蝶形花科 Papilionacese 合萌属 *Aeschynomene*

合萌 *Aeschynomene indica* Linn.

| 药 材 名 | 镰刀草（药用部位：全草或茎髓。别名：田皂角、水皂角）。

| 形态特征 | 草本。茎直立。叶具 20 ~ 30 对小叶或更多；托叶膜质，长约 1 cm，基部下延成耳状；小叶面密布腺点，具细刺尖头，基部歪斜。总状花序腋生，长 1.5 ~ 2 cm；花萼膜质，具纵脉纹；花冠淡黄色，具紫色的纵脉纹，易脱落，旗瓣基部具极短的瓣柄，翼瓣篦状。荚果线状长圆形，荚节成熟时逐节脱落；种子黑棕色，肾形。花期 7 ~ 8 月，果期 8 ~ 10 月。

| 生境分布 | 生于旷野或潮湿地上。分布于广东仁化、翁源、阳春及深圳（市区）、肇庆（市区）、梅州（市区）、阳江（市区）等。

| **资源情况** | 野生资源较少，栽培资源丰富。药材来源于野生和栽培。

| **采收加工** | 9 ~ 10 月采收，鲜用或晒干。

| **功能主治** | 苦、涩，微寒。清热利尿，解毒。用于尿路感染，小便不利，腹泻，水肿，老人眼蒙，目赤，胆囊炎，黄疸，疳积，疮疥，荨麻疹，蛇咬伤。

| **用法用量** | 内服煎汤，10 ~ 15 g。

| **凭证标本号** | 440781190829007LY。

蝶形花科 Papilionacese 链荚豆属 *Alysicarpus*

柴胡叶链荚豆 *Alysicarpus bupleurifolius* (Linn.) DC.

| 药 材 名 | 长叶炼荚豆（药用部位：全草）。

| 形态特征 | 多年生草本。叶为单小叶；托叶披针形，长 1 ~ 1.2 mm，基部宽 1.5 mm，无毛，有条纹，宿存；小叶线形至线状披针形，通常长 4 ~ 7 cm，宽 4 ~ 5 mm，生于荚果的叶较宽短，侧脉每边 10 ~ 13。总状花序顶生，长 3 ~ 18 cm；花成对着生于节上；花冠淡黄色或黄绿色。荚果长 6 ~ 15 mm，宽 1.8 mm，伸出宿存萼外，节间收缩，无毛，成熟时褐色。花果期 9 ~ 11 月。

| 生境分布 | 生于荒地草丛中。分布于广东深圳（市区）、珠海（市区）等。

| 资源情况 | 野生资源较少，栽培资源丰富。药材来源于野生和栽培。

| **采收加工** | 夏、秋季采收，洗净，鲜用或晒干。

| **功能主治** | 淡，平。接骨消肿，去腐生肌。用于刀伤，骨折，外伤出血，疮疡溃烂。

| **用法用量** | 外用适量，捣敷；或煎汤洗。

蝶形花科 Papilionacese 链荚豆属 *Alysicarpus*

链荚豆 *Alysicarpus vaginalis* (Linn.) DC.

| 药 材 名 | 假地豆（药用部位：全草或叶。别名：小号野花生、水咸草）。

| 形态特征 | 多年生草本。叶仅有单小叶；托叶线状披针形，干膜质，具条纹，无毛；叶柄长 5 ~ 14 mm，无毛；小叶形态变化很大。总状花序腋生或顶生，长 1.5 ~ 7 cm，有花 6 ~ 12，成对排列于节上，节间长 2 ~ 5 mm；苞片膜质，卵状披针形，长 5 ~ 6 mm；花梗 5，长 3 ~ 4 mm；花冠紫蓝色。荚果扁圆柱形，长 1.5 ~ 2.5 cm，宽 2 ~ 2.5 mm，被短柔毛。花期 9 月，果期 9 ~ 11 月。

| 生境分布 | 生于旷野、草坡、路旁或海边沙地。广东各地均有分布。

| 资源情况 | 野生资源较少，栽培资源丰富。药材来源于野生和栽培。

| **采收加工** | 夏、秋季采收，晒干或鲜用。

| **功能主治** | 甘、苦，平。活血通络，清热化湿，驳骨消肿，去腐生肌。用于半身不遂，股骨酸痛，慢性肝炎，跌打损伤，骨折。

| **用法用量** | 内服煎汤，30 ~ 60 g。外用适量，鲜全草捣敷；或鲜全草煎汤洗；或干叶研末撒。

| **凭证标本号** | 440523190728012LY。

蝶形花科 Papilionacese 紫穗槐属 *Amorpha*

紫穗槐 *Amorpha fruticosa* Linn.

| 药 材 名 | 穗花槐（药用部位：叶。别名：紫翠槐、棉条、椒条）。

| 形态特征 | 落叶灌木。丛生，高 1 ~ 4 m。小枝灰褐色，被疏毛，后变无毛，嫩枝密被短柔毛。叶互生，奇数羽状复叶，长 10 ~ 15 cm，基部有线形托叶；叶柄长 1 ~ 2 cm；小叶具黑色腺点。穗状花序，长 7 ~ 15 cm，密被短柔毛；花有短梗；旗瓣心形，紫色。荚果下垂，长 6 ~ 10 mm，宽 2 ~ 3 mm，微弯曲，先端具小尖，棕褐色，表面有凸起的疣状腺点。花果期 5 ~ 10 月。

| 生境分布 | 栽培种。广东北部及德庆、广州（市区）、肇庆（市区）等有栽培。

| 资源情况 | 野生资源较少，栽培资源丰富。药材来源于野生和栽培。

| 采收加工 | 夏、秋季采收，鲜用。

| 功能主治 | 微苦，凉。清热解毒，祛湿消肿。用于烫火伤，痈疮，湿疹。

| 用法用量 | 外用适量，鲜品煎汤洗。

蝶形花科 Papilionacese 两型豆属 *Amphicarpaea*

两型豆 *Amphicarpaea edgeworthii* Benth.

| 药材名 | 野毛扁豆（药用部位：种子。别名：山巴豆、三籽两型豆、阴阳豆）。

| 形态特征 | 一年生缠绕草本。叶具羽状3小叶；小叶薄纸质或近膜质。花二型。茎上部的为正常花；腋生短总状花序被淡褐色长柔毛；花冠淡紫色或白色。生于下部的花为闭锁花，无花瓣；柱头弯至与花药接触，子房伸入地下结实。荚果二型；茎上部完全花结的荚果被淡褐色柔毛；由闭锁花伸入地下结的荚果不开裂，内含1种子。花果期8～11月。

| 生境分布 | 生于山坡、路旁、旷野草地。分布于广东乳源等。

| 资源情况 | 野生资源较少，栽培资源丰富。药材来源于野生和栽培。

| 采收加工 | 夏、秋季采收，晒干。

| 功能主治 | 苦、淡，平。消食，解毒，止痛。用于食后腹胀，体虚自汗，诸般疼痛，疮疖。

| 用法用量 | 内服煎汤，10 ~ 30 g。

周柳提供

蝶形花科 Papilionacese 土圞儿属 *Apios*

肉色土圞儿 *Apios carnea* (Wall.) Benth. ex Baker

| 药 材 名 | 满塘红（药用部位：根）。

| 形态特征 | 缠绕藤本。茎有条纹，幼时被毛，老则毛脱落而近无毛。奇数羽状复叶；小叶叶面绿色，背面灰绿色；叶柄长 5 ~ 8（~ 12）cm。总状花序腋生，长 15 ~ 24 cm；苞片和小苞片小，线形，脱落；花萼钟状，二唇形，绿色，萼齿三角形，短于萼筒；花冠淡红色、淡紫红色或橙红色，长为花萼的 2 倍。荚果线形，直；种子肾形，黑褐色，光亮。花期 7 ~ 9 月，果期 8 ~ 11 月。

| 生境分布 | 生于沟边杂木林中或溪边路旁。分布于广东仁化、乳源、乐昌、信宜、怀集、阳山、连山等。

| 资源情况 | 野生资源较少，栽培资源丰富。药材来源于野生和栽培。

| 采收加工 | 夏、秋季采收，晒干。

| 功能主治 | 微苦，平。清热解毒，利气散结，补肾强筋。用于腰痛，咽喉肿痛。

| 用法用量 | 内服煎汤，9 ~ 15 g。

| 凭证标本号 | 441225180730108LY。

蝶形花科 Papilionacese 落花生属 *Arachis*

花生 *Arachis hypogaea* Linn.

| 药 材 名 | 花生皮（药用部位：种皮）、花生油（药材来源：种子榨的脂肪油）、花生壳（药用部位：果壳）。

| 形态特征 | 一年生草本。根部有丰富的根瘤。茎和分枝均有棱，被黄色长柔毛，后变无毛。托叶长 2 ~ 4 cm，具纵脉纹，被毛；叶柄基部抱茎，被毛；小叶全缘，两面被毛，边缘具睫毛；叶脉边缘互相连结成网状。花冠黄色或金黄色；旗瓣开展，先端凹陷；翼瓣与龙骨瓣分离；龙骨瓣内弯，先端渐狭成喙状。荚果长 2 ~ 5 cm，宽 1 ~ 1.3 cm，膨胀，荚厚。花果期 6 ~ 8 月。

| 生境分布 | 栽培种。广东各地均有栽培。

| 资源情况 | 栽培资源丰富。药材来源于栽培。

| 采收加工 | **花生皮：**秋季采收成熟果实，剥取种子，收集红色种皮，晒干。

花生油：夏、秋季采收成熟果实，剥取种子，晒干，榨成脂肪油。

花生壳：剥取花生时收集，晒干。

| 功能主治 | **花生皮：**甘、微苦、涩，平。止血，散瘀，消肿。

花生油：淡，平。润肠通便。

花生壳：淡、涩，平。敛肺止咳。

| 用法用量 | **花生皮：**内服煎汤，3 ~ 6 g。

花生壳：内服煎汤，9 ~ 30 g。

| 凭证标本号 | 445224201007018LY。

蝶形花科 Papilionacese 黄芪属 *Astragalus*

紫云英 *Astragalus sinicus* Linn.

| 药 材 名 | 苕子草（药用部位：全草。别名：沙蒺藜、红花草、翘摇）。

| 形态特征 | 二年生草本。多分枝，匍匐，被白色疏柔毛。奇数羽状复叶；托叶离生，先端尖，基部互相多少合生，具缘毛；小叶上面近无毛，下面散生白色柔毛。总状花序；总花梗腋生；花冠紫红色或橙黄色，瓣片长圆形，基部具短耳。荚果线状长圆形，具短喙，黑色，具隆起的网纹；种子肾形，栗褐色，长约 3 mm。花期 2 ~ 6 月，果期 3 ~ 7 月。

| 生境分布 | 生于山坡、溪边及潮湿处。广东各地均有分布。

| 资源情况 | 野生资源较少，栽培资源丰富。药材来源于野生和栽培。

| 采收加工 | 夏、秋季采收，鲜用或晒干。

| 功能主治 | 微辛、微甘，平。祛风明目，健脾益气，解毒止痛。用于咽喉肿痛，风痰咳嗽，目赤肿痛，齿衄，血小板减少性紫癜，疔疮，带状疱疹，痔疮，外伤出血。

| 用法用量 | 内服煎汤，15 ~ 30 g；或捣汁。外用适量，鲜品捣敷；或研末调敷。

| 凭证标本号 | 440281190424044LY。

蝶形花科 Papilionacese 藤槐属 *Bowringia*

藤槐 *Bowringia callicarpa* Champ. ex Benth.

| 药 材 名 | 包令豆（药用部位：根、叶）。

| 形态特征 | 攀缘灌木。单叶，近革质，长圆形或卵状长圆形，长 6 ~ 13 cm，宽 2 ~ 6 cm，两面几无毛；托叶卵状三角形，具脉纹。总状花序或排列成伞房状，长 2 ~ 5 cm；苞片小，早落；花冠白色。荚果卵形或卵球形，长 2.5 ~ 3 cm，直径约 15 mm，先端具喙，沿缝线开裂，表面具明显凸起的网纹，具种子 1 ~ 2；种子椭圆形，稍扁，深褐色至黑色。花期 4 ~ 6 月，果期 7 ~ 9 月。

| 生境分布 | 生于山谷林缘或河边、溪旁。广东各地均有分布。

| 资源情况 | 野生资源较少，栽培资源丰富。药材来源于野生和栽培。

| 采收加工 | 夏、秋季采收，晒干。

| 功能主治 | 苦，寒。清热，凉血。用于血热所致的吐血、衄血。

| 用法用量 | 内服煎汤，6 ~ 12 g。

| 凭证标本号 | 440781190516003LY。

蝶形花科 Papilionacese 木豆属 *Cajanus*

木豆 *Cajanus cajan* (Linn.) Millsp.

| 药 材 名 | 三叶豆（药用部位：根、种子、叶。别名：豆蓉、扭豆）。

| 形态特征 | 灌木。高 1 ~ 3 m。叶具羽状 3 小叶；叶柄上面具浅沟，背面具细纵棱；小叶叶面被极短的灰白色短柔毛。总状花序；苞片卵状椭圆形；花序、总花梗、苞片、花萼均被灰黄色短柔毛；花冠黄色，旗瓣背面有紫褐色纵线纹，基部有附属体及内弯的耳。荚果于种子间具明显凹入的斜横槽，被灰褐色短柔毛。花果期 2 ~ 11 月。

| 生境分布 | 栽培种。广东各地均有栽培。

| 资源情况 | 栽培资源丰富。药材来源于野生和栽培。

| 采收加工 | 根，夏、秋季采收，晒干。种子，春、秋季果实成熟时采收，晒干。

叶，生长期均可采收，鲜用。

| 功能主治 | 根，苦，寒。清热解毒，利湿止血。种子，辛、涩，平。利湿，消肿，散瘀，止血。用于风湿痹痛，跌打损伤，衄血，便血，疮疖肿毒，产后恶露不尽，水肿，黄疸性肝炎。叶，解毒消肿。用于小儿水痘，痈肿疮毒。

| 用法用量 | 内服煎汤，9 ~ 15 g。

| 凭证标本号 | 441523190406006LY。

蝶形花科 Papilionacese 木豆属 *Cajanus*

蔓草虫豆 *Cajanus scarabaeoides* (Linn.) Thouars

| 药 材 名 | 止血草（药用部位：全株或叶。别名：水风草、地豆草）。

| 形态特征 | 草质藤本。叶具羽状 3 小叶；小叶纸质或近革质，背面有腺状斑点，顶生小叶两面薄被褐色短柔毛，但背面较密。总状花序腋生；总轴、花梗和花萼均被黄褐色至灰褐色绒毛；花冠黄色，通常于花开后脱落。荚果长圆形，密被红褐色或灰黄色长毛，果瓣革质，于种子间有横缢线。花期 9 ~ 10 月，果期 11 ~ 12 月。

| 生境分布 | 生于灌丛中或旷野草地上。广东各地均有分布。

| 资源情况 | 野生资源较少，栽培资源丰富。药材来源于野生和栽培。

| 采收加工 | 全年均可采收，洗净，鲜用或晒干。

| 功能主治 | 甘、淡、微辛，平。疏风解表，化湿，止血。用于伤风感冒，风湿水肿；叶外用于外伤出血。

| 用法用量 | 内服煎汤，15 ~ 30 g。外用适量，鲜叶捣敷或干叶研末敷。

| 凭证标本号 | 441523190921021LY。

蝶形花科 Papilionacese 杭子梢属 *Campylotropis*

杭子梢 *Campylotropis macrocarpa* (Bge.) Rehd.

| 药 材 名 | 多花杭子梢（药用部位：根、枝叶）。

| 形态特征 | 灌木。高 1 ~ 3 m。三出复叶；小叶叶面通常无毛，叶脉明显，背面被柔毛，中脉毛较密。总状花序单一，腋生并顶生，花序轴密生开展的短柔毛或微柔毛；花梗具开展的微柔毛或短柔毛；花冠紫红色或近粉红色。荚果长圆形、近长圆形或椭圆形，长 10 ~ 14 mm，宽 4.5 ~ 5.5 mm，先端具短喙尖，果颈长 1 ~ 1.4 mm，无毛，具网脉，边缘生纤毛。花果期 6 ~ 10 月。

| 生境分布 | 生于海拔 150 ~ 1 300 m 的山坡、灌丛、林缘、山谷沟边及林中。分布于广东乳源、连州及梅州（市区）等。

| 资源情况 | 野生资源较少，栽培资源丰富。药材来源于野生和栽培。

| 采收加工 | 夏、秋季采收，晒干。

| 功能主治 | 微辛、苦，平。疏风解表，活血通络。用于风寒感冒，痧证，肾炎性水肿，肢体麻木，半身不遂。

| 用法用量 | 内服煎汤，10 ~ 15 g。

| 凭证标本号 | 440224181112006LY。

蝶形花科 Papilionacese 刀豆属 *Canavalia*

小刀豆 *Canavalia cathartica* Thouars

| 药 材 名 | 野刀板豆（药用部位：全株。别名：洋刀豆）。

| 形态特征 | 二年生粗壮草质藤本。茎、枝被稀疏的短柔毛。羽状复叶具 3 小叶；托叶胼胝体状；小叶纸质，两面脉上被极疏的白色短柔毛，小叶柄被柔毛。花 1 ~ 3 生于花序轴的每一节上；花冠粉红色或近紫色。荚果长圆形，长 7 ~ 9 cm，宽 3.5 ~ 4.5 cm，膨胀，先端具喙尖；种子椭圆形，长约 18 mm，宽约 12 mm，种皮褐黑色，硬而光滑，种脐长 13 ~ 14 mm，花果期 3 ~ 10 月。

| 生境分布 | 生于海滨或河滨，攀缘于石壁或灌木上。分布于广东翁源、南澳、新会、台山、徐闻、博罗、惠东、英德及东莞、广州（市区）、深圳（市区）、珠海（市区）、肇庆（市区）、惠州（市区）、梅

州（市区）、阳江（市区）、清远（市区）等。

| 资源情况 | 野生资源较少，栽培资源丰富。药材来源于野生和栽培。

| 采收加工 | 全年均可采收。

| 功能主治 | 甘，温。清热消肿，杀虫止痒。

| 用法用量 | 内服煎汤，4.5 ~ 9 g。

| 凭证标本号 | 440882180430828LY。

蝶形花科 Papilionacese 刀豆属 *Canavalia*

刀豆 *Canavalia gladiata* (Jacq.) DC.

| 药 材 名 | 刀豆子（药用部位：种子、果壳、根。别名：挟剑豆、野刀板藤、葛豆）。

| 形态特征 | 一年生缠绕革质大藤本。叶为三出复叶；小叶片全缘，侧生小叶两侧不对称。总状花序腋生；花数朵生于花序轴中部以上；花冠淡红色或淡紫色，蝶形，长 3 ~ 4 cm。荚果大，扁带状，长 10 ~ 30 cm，直径 3 ~ 5 cm，被贴生短柔毛，边缘有隆起的脊，先端弯曲成钩状；种子卵状椭圆形，粉红色或红色，扁平而光滑。花期 7 ~ 9 月，果期 10 月。

| 生境分布 | 栽培种。广东各地均有栽培。

| 资源情况 | 野生资源较少，栽培资源丰富。药材来源于野生和栽培。

| 采收加工 | 夏、秋季采收，晒干。

| 药材性状 | 本品种子呈卵圆形或近肾形，压扁，长 2 ~ 3.5 cm，宽 1 ~ 2 cm，厚 0.5 ~ 1.2 cm，淡红色至红紫色，微有皱缩纹。边缘具黑色、长约 2 cm 的种脐，种脐上有 3 白色细纹。质硬，难破碎，破开革质种皮可见其内表面棕绿色而光亮；子叶 2，黄白色，油润。无臭，味淡，嚼之有豆腥气。以粒大、饱满、色淡红者为佳。

| 功能主治 | 甘，温。种子，温中降逆，补肾。用于虚寒呃逆，肾虚腰痛。果壳，通经活血，止泻。根，散瘀止痛。用于头风，跌打损伤，风湿腰痛，心痛，牙痛，久痢，疝气，经闭。

| 用法用量 | 内服煎汤，4.5 ~ 9 g。

| 凭证标本号 | 441284190722667LY。

蝶形花科 Papilionacese 刀豆属 *Canavalia*

海刀豆 *Canavalia rosea* (Sw.) DC.

| 药 材 名 | 海刀豆（药用部位：根）。

| 形态特征 | 粗壮、草质藤本。茎被稀疏的微柔毛。羽状复叶具 3 小叶。小叶倒卵形、卵形、椭圆形或近圆形，侧生小叶两面均被长柔毛。总状花序腋生；花 1 ~ 3 聚生于花序轴近顶部的每一节上；花冠紫红色。荚果线状长圆形，长 8 ~ 12 cm，宽 2 ~ 2.5 cm，厚约 1 cm，先端具喙尖，离背缝线约 3 mm 处的两侧有纵棱；种子椭圆形，种皮褐色，种脐长约 1 cm。花期 6 ~ 7 月。

| 生境分布 | 生于海边沙滩上。分布于广东各地的沿海地区。

| 资源情况 | 野生资源较少，栽培资源丰富。药材来源于野生和栽培。

| **采收加工** | 全年均可采收。

| **功能主治** | 行气止呃，清热利湿，利肠胃。用于呃逆，肝炎。

| **凭证标本号** | 440781190515046LY。

蝶形花科 Papilionacese 蝙蝠草属 *Christia*

铺地蝙蝠草 *Christia obcordata* (Poir.) Bakh. f. ex Meeuwen

| 药 材 名 | 罗藟草（药用部位：全草。别名：半边钱、蝴蝶叶）。

| 形态特征 | 多年生匍匐草本。长 15 ～ 60 cm。叶通常为三出复叶，稀为单小叶；托叶刺毛状；叶柄丝状，疏被灰色柔毛；小叶膜质，叶面无毛，背面被疏柔毛。总状花序多为顶生；每节生 1 花；花萼半透明，被灰色柔毛，有明显网脉；花冠蓝紫色或玫瑰红色。荚果有荚节 4 ～ 5，完全藏于花萼内，荚节圆形，直径约 2.5 mm，无毛。花期 5 ～ 8 月，果期 9 ～ 10 月。

| 生境分布 | 生于旷野、坡地上。分布于广东乳源、徐闻、雷州、阳山及广州（市区）、深圳（市区）、汕头（市区）、肇庆（市区）等。

| 资源情况 | 野生资源较少，栽培资源丰富。药材来源于野生和栽培。

| 采收加工 | 7 ~ 10 月采收，鲜用或晒干。

| 功能主治 | 清热利湿，止血，解毒。用于小便不利，石淋，水肿，带下，跌打损伤，吐血，咯血，血崩，目赤痛，乳痈，毒蛇咬伤。

| 用法用量 | 内服煎汤，10 ~ 30 g。外用适量，捣敷；或煎汤洗。

| 凭证标本号 | 441823191002017LY。

蝶形花科 Papilionacese 蝙蝠草属 *Christia*

蝙蝠草 *Christia vespertilionis* (Linn. f.) Bakh. f.

药材名

飞锡草（药用部位：全草。别名：雷州蝴蝶草、月见罗藁草）。

形态特征

多年生直立草本。高 60 ~ 120 cm。叶通常为单小叶，稀有 3 小叶；小叶近革质，灰绿色，顶生小叶菱形、长菱形或元宝形。总状花序有时组成圆锥花序，长 5 ~ 15 cm，被短柔毛；花梗长 2 ~ 4 mm，被灰色短柔毛，较花萼短；花萼半透明，被柔毛；花冠黄白色，不伸出花萼外。荚果椭圆形，成熟后黑褐色，有网纹，无毛，完全藏于花萼内。花期 3 ~ 5 月，果期 10 ~ 12 月。

生境分布

生于山坡草地或灌丛中。分布于广东徐闻及广州（市区）、肇庆（市区）等。

资源情况

野生资源较少，栽培资源丰富。药材来源于野生和栽培。

采收加工

夏、秋季采收，晒干或鲜用。

| 功能主治 | 微苦，凉。清热凉血，接骨。用于肺结核，支气管炎，扁桃体炎；外用于跌打骨折。

| 用法用量 | 内服煎汤，12 ~ 15 g。外用适量，鲜品捣敷；或干品研末调酒炒热敷。

| 凭证标本号 | 440882180429044LY。

蝶形花科 Papilionacese 香槐属 *Cladrastis*

翅荚香槐 *Cladrastis platycarpa* (Maxim.) Makino

| 药 材 名 | 翅荚香槐（药用部位：根、果实）。

| 形态特征 | 大乔木。高 30 m。树皮暗灰色，多皮孔。奇数羽状复叶；小叶 3 ~ 4 对，互生或近对生。圆锥花序，花序轴和花梗被疏短柔毛；花冠白色，芳香。荚果扁平，长椭圆形或长圆形，两侧具翅，不开裂；种子长圆形，长约 8 mm，宽 3 mm，压扁，种皮深褐色或黑色。花期 4 ~ 6 月，果期 7 ~ 10 月。

| 生境分布 | 生于海拔 1 000 m 以下的山谷疏林或山坡杂木林中。分布于广东始兴、乳源、乐昌、阳山、连山、连州等。

| 资源情况 | 野生资源较少，栽培资源丰富。药材来源于野生和栽培。

| **采收加工** | 根全年均可采挖，洗净，切片，鲜用。果实，9 ~ 10 月果实成熟时采收，晒干。

| **功能主治** | 辛、苦，平。祛风止痛。用于关节疼痛。

| **用法用量** | 内服煎汤，鲜根 30 ~ 60 g。

蝶形花科 Papilionacese 蝶豆属 *Clitoria*

广东蝶豆 *Clitoria hanceana* Hemsl.

| 药 材 名 |

韩氏蝶豆（药用部位：块根。别名：山葛薯）。

| 形态特征 |

亚灌木。根肉质纺锤状。茎稍呈“之”字形弯曲，被灰色短柔毛。羽状复叶具 3 小叶；小叶纸质或近革质，近等大或顶生 1 叶较大，网脉细密，下面被灰白色贴伏柔毛。花 2 ~ 3，有时 1 花腋生；苞片卵形；花冠白色或淡黄色，旗瓣有脉纹，外面密被短茸毛。荚果线状长圆形，先端具长喙，果颈短；种子椭圆形，黑色。花期 4 ~ 10 月。

| 生境分布 |

生于荒坡、荒地、路旁的灌丛中。分布于广东开平、乐昌、阳山、新兴及清远（市区）、广州（市区）等。

| 资源情况 |

野生资源较少，栽培资源丰富。药材来源于野生和栽培。

| 采收加工 |

夏季采挖，除去杂质，洗净，鲜用或晒干。

| 功能主治 | 甘、微苦，平。止咳祛痰，消肿拔毒。用于老年慢性支气管炎，疮肿。

| 用法用量 | 内服煎汤，3 ~ 9 g。外用适量，捣敷。

| 凭证标本号 | 440923140724023LY。

蝶形花科 Papilionacese 蝶豆属 *Clitoria*

蝶豆 *Clitoria ternatea* Linn.

| 药 材 名 | 蝴蝶花豆（药用部位：全株或根、种子。别名：蓝花豆、蓝蝴蝶、蝴蝶豆）。

| 形态特征 | 攀缘状草质藤本。羽状复叶具 5 ~ 7 小叶；小叶干后带绿色或绿褐色；小叶柄和叶轴均被短茸毛。花大，单朵腋生；花冠蓝色、粉红色或白色，旗瓣中央有一白色或橙黄色浅晕。荚果长 5 ~ 11 cm，宽约 1 cm，扁平，具长喙，有种子 6 ~ 10；种子长圆形，长约 6 mm，宽约 4 mm，黑色，具明显种阜。花果期 7 ~ 11 月。

| 生境分布 | 栽培种。广东各地均有栽培。

| 资源情况 | 栽培资源丰富。药材来源于栽培。

| 采收加工 |　秋、冬季采收。

| 功能主治 |　有毒。化瘀止痛，润肠通便，作泻药。用于便秘。

蝶形花科 Papilionacese 舞草属 *Codariocalyx*

圆叶舞草 *Codariocalyx gyroides* (Roxb. ex Link) Hassk.

| 药 材 名 | 圆叶舞草（药用部位：全株）。

| 形态特征 | 直立灌木。叶为三出复叶。总状花序顶生或腋生，中部以上有密集的花；花冠紫色。荚果呈镰状弯曲，长 2.5 ~ 5 cm，宽 4 ~ 6 mm，腹缝线直，背缝线稍缢缩为波状，成熟时沿背缝线开裂，密被黄色短钩状毛和长柔毛，有荚节 5 ~ 9；种子长 4 mm，宽约 2.5 mm。花期 9 ~ 10 月，果期 10 ~ 11 月。

| 生境分布 | 生于海拔 100 ~ 1 200 m 的草地及山坡疏林中。分布于广东乐昌、博罗、连平、阳春、郁南及肇庆（市区）、河源（市区）、云浮（市区）、广州（市区）等。

| 资源情况 | 野生资源较少，栽培资源丰富。药材来源于野生和栽培。

| 采收加工 | 夏、秋季采收，晒干。

| 功能主治 | 微涩、甘，平。祛瘀生新，活血消肿。用于跌打肿痛，骨折，小儿疳积，风湿骨痛。

| 用法用量 | 内服煎汤，15 ~ 25 g。

| 凭证标本号 | 440983191004007LY。

蝶形花科 Papilionacese 舞草属 *Codariocalyx*

舞草 *Codariocalyx motorius* (Houtt.) Ohashi

| 药 材 名 | 钟萼豆（药用部位：全株或枝叶。别名：风流草、多情草、无风独摇草）。

| 形态特征 | 亚灌木。叶为三出复叶；侧生小叶很小或缺而仅具单小叶；叶柄具沟槽，疏生开展柔毛。圆锥花序或总状花序顶生或腋生；花序轴具弯曲钩状毛。荚果镰形或直，长 2.5 ~ 4 cm，宽约 5 mm，腹缝线直，背缝线稍缢缩，成熟时沿背缝线开裂，疏被钩状短毛，有荚节 5 ~ 9；种子长 4 ~ 4.5 mm，宽 2.5 ~ 3 mm。花期 7 ~ 9 月，果期 10 ~ 11 月。

| 生境分布 | 生于海拔 200 ~ 1 500 m 的丘陵山坡或山沟灌丛中。分布于广东乐昌、郁南、始兴、新兴等。

| 资源情况 | 野生资源较少，栽培资源丰富。药材来源于野生和栽培。

| 采收加工 | 夏、秋季采收，切碎，晒干。

| 功能主治 | 淡、微涩，平。活血祛风，安神镇静。用于跌打肿痛，骨折，风湿骨痛。

| 用法用量 | 内服煎汤，15 ~ 25 g。

| 凭证标本号 | 440233151022406LY。

蝶形花科 Papilionacese 猪屎豆属 *Crotalaria*

翅托叶猪屎豆 *Crotalaria alata* Buch.-Ham. ex D. Don

| 药 材 名 | 翅托叶野百合（药用部位：全草）。

| 形态特征 | 直立草本或亚灌木。高 50 ~ 100 cm。茎枝呈“之”字形，除荚果外，其余部分被锈色丝状柔毛。托叶下延至另一茎节呈翅状；叶为单叶，先端钝或圆，具细小的短尖头，两面被毛，下面毛较密。总状花序顶生或腋生，有花 2 ~ 3；花冠黄色，龙骨瓣卵形，具长喙；子房无毛。荚果长圆形，无毛或被稀疏的短柔毛，先端具稍弯曲的喙。花果期：6 ~ 12 月。

| 生境分布 | 生于旷野或林中。分布于广东雷州半岛等。

| 资源情况 | 野生资源较少，栽培资源丰富。药材来源于野生和栽培。

| **采收加工** | 全年均可采收。

| **功能主治** | 泻肺消痰，清热利湿，解毒消肿。用于小儿疳积，肾虚，阳痿，骨折。

蝶形花科 Papilionacese 猪屎豆属 *Crotalaria*

响铃豆 *Crotalaria albida* Heyne ex Roth

| 药 材 名 | 黄花地丁（药用部位：全草或叶。别名：小响铃、马口铃）。

| 形态特征 | 多年生直立草本。基部常木质。托叶细小，刚毛状，早落；单叶，叶面绿色，近无毛，背面暗灰色，略被短柔毛；叶柄近无。总状花序顶生或腋生，有花 20 ～ 30；花冠淡黄色，旗瓣椭圆形，先端具束状柔毛，基部胼胝体可见，翼瓣中部以上变狭形成长喙。荚果短圆柱形，长约 10 mm，无毛，稍伸出花萼外；种子 6 ～ 12。花果期 5 ～ 12 月。

| 生境分布 | 生于山坡路旁、草丛中、灌丛或岩石旁。分布于广东除西南部以外的各个地区。

| 资源情况 | 野生资源较少，栽培资源丰富。药材来源于野生和栽培。

| 采收加工 | 夏、秋季采收，晒干或鲜用。

| 功能主治 | 苦、辛，凉。泻肺消痰，清热利湿，解毒消肿。外用于痈肿疮毒，乳腺炎。

| 用法用量 | 内服煎汤，9 ~ 15 g。外用适量，鲜叶捣敷。

| 凭证标本号 | 441825191001018LY。

蝶形花科 Papilionacese 猪屎豆属 *Crotalaria*

大猪屎豆 *Crotalaria assamica* Benth.

| 药 材 名 | 大猪屎豆（药用部位：茎叶。别名：凸尖野百合、大猪屎青）、自消容子（药用部位：种子）。

| 形态特征 | 直立高大草本。茎枝被锈色柔毛。单叶，叶片质薄，背面被锈色短柔毛。总状花序；花冠黄色，旗瓣圆形或椭圆形，基部具 2 胼胝体，先端微凹或圆，翼瓣长圆形，长 15 ~ 18 mm，龙骨瓣弯曲，几呈 90° ，中部以上变狭形成长喙，伸出花萼外；子房无毛。荚果长圆形，长 4 ~ 6 cm，直径约 1.5 cm，果颈长约 5 mm；种子 20 ~ 30。花果期 5 ~ 12 月。

| 生境分布 | 生于海拔 50 ~ 900 m 的山坡路边及山谷草丛中。分布于广东除西南部以外的各个地区。

| 资源情况 | 野生资源较少，栽培资源丰富。药材来源于野生和栽培。

| 采收加工 | **大猪屎豆：**夏、秋季采收，晒干。

自消容子：夏、秋季采摘果实，剥取种子。

| 功能主治 | **大猪屎豆：**淡，微凉。清热解毒，凉血止血，利水消肿。用于跌打损伤，石淋。

自消容子：微苦，温；有毒。祛风除湿，止血消肿，杀虫。用于热咳，吐血。

| 用法用量 | **大猪屎豆、自消容子：**内服煎汤，15 ~ 30 g；或炖猪瘦肉。

| 凭证标本号 | 441284190330723LY。

蝶形花科 Papilionacese 猪屎豆属 *Crotalaria*

长萼猪屎豆 *Crotalaria calycina* Schrank.

| 药 材 名 | 长萼野百合（药用部位：全草。别名：狗铃豆）。

| 形态特征 | 多年生直立草本。茎密被粗糙的褐色长柔毛。单叶，近无柄，长圆状线形或线状披针形，背面密被褐色长柔毛。总状花序顶生，稀腋生，通常缩短或形似头状；苞片披针形，稍弯曲成镰状；花冠黄色，全部包被于花萼内，旗瓣基部具 2 胼胝体，翼瓣长椭圆形，龙骨瓣近直生，具长喙。荚果圆形，成熟后黑色，秃净无毛。花果期 6 ~ 12 月。

| 生境分布 | 生于旷野草地上。分布于广东乐昌、台山、徐闻及深圳（市区）、珠海（市区）、汕头（市区）、肇庆（市区）等。

| 资源情况 | 野生资源较少，栽培资源丰富。药材来源于野生和栽培。

| 采收加工 | 夏、秋季采收，晒干。

| 功能主治 | 辛、甘，平。健脾消食。用于小儿疳积，消化不良，脘腹胀满。

| 用法用量 | 内服煎汤，3 ~ 10 g。

| 凭证标本号 | 440224181113026LY。

蝶形花科 Papilionacese 猪屎豆属 *Crotalaria*

假地蓝 *Crotalaria ferruginea* Grah. ex Benth.

| 药 材 名 | 狗响铃（药用部位：全草或根。别名：响铃草、荷猪草）。

| 形态特征 | 草本，基部常木质。茎被棕黄色伸展的长柔毛。单叶，叶片椭圆形，两面被毛，侧脉隐见。总状花序；花冠黄色，旗瓣长椭圆形，长 8 ~ 10 mm，翼瓣长圆形，长约 8 mm，龙骨瓣与翼瓣等长，中部以上变狭形成长喙，包被于花萼内或与花萼等长；子房无柄。荚果长圆形，无毛，长 2 ~ 3 cm；种子 20 ~ 30。花果期 6 ~ 12 月。

| 生境分布 | 生于海拔 400 ~ 1 000 m 的山坡疏林及荒山草地。广东各地均有分布。

| 资源情况 | 野生资源较少，栽培资源丰富。药材来源于野生和栽培。

| **采收加工** | 夏、秋季采收，晒干。

| **功能主治** | 苦、微酸，平。养肝滋肾，止咳平喘，利湿解毒。用于肝肾不足所致的头晕目眩，耳鸣耳聋，遗精，肾炎，支气管炎，哮喘，月经不调，带下。

| **用法用量** | 内服煎汤，15 ~ 30 g。

| **凭证标本号** | 441825191003004LY。

蝶形花科 Papilionacese 猪屎豆属 *Crotalaria*

菽麻 *Crotalaria juncea* Linn.

| 药 材 名 | 太阳麻（药用部位：根。别名：印度麻）。

| 形态特征 | 直立草本。茎枝具浅沟纹，密被丝质短柔毛。叶为单叶，叶片长圆状披针形或线状披针形。总状花序；花冠黄色，旗瓣长圆形，长 1.5 ~ 2.5 cm，基部具胼胝体 2，翼瓣倒卵状长圆形，长 1.5 ~ 2 cm，中部以上变狭形成长喙，伸出花萼外；子房无柄。荚果长圆形，长 2 ~ 4 cm，被锈色柔毛；种子 10 ~ 15。花果期 8 月至翌年 5 月。

| 生境分布 | 生于荒地路旁及山坡疏林中。广东广州（市区）、肇庆（市区）等有引种栽培。

| 资源情况 | 野生资源较少，栽培资源丰富。药材来源于野生和栽培。

| 采收加工 | 全年均可采收。

| 功能主治 | 苦，寒。利尿解毒，止痛，麻醉。

| 用法用量 | 内服煎汤，3 ~ 10 g。外用适量。

蝶形花科 Papilionacese 猪屎豆属 *Crotalaria*

线叶猪屎豆 *Crotalaria linifolia* Linn. f.

| 药 材 名 | 条叶猪屎豆（药用部位：根。别名：小苦参）。

| 形态特征 | 多年生草本。高 50 ~ 100 cm。茎圆柱形，密被丝质短柔毛。托叶小，常早落；单叶，倒披针形或长圆形，长 2 ~ 5 cm，宽 0.5 ~ 1.5 cm，先端渐尖或钝尖，具细小的短尖头，两面被丝质柔毛；叶柄短。总状花序；花冠黄色，旗瓣圆形或长圆形，基部边缘被毛，胼胝体垫状，龙骨瓣具长喙。荚果四菱形，成熟后果皮黑色。花期 5 ~ 10 月，果期 8 ~ 12 月。

| 生境分布 | 生于路旁、田边及空旷处。分布于广东从化、始兴、乳源、乐昌、徐闻及湛江（市区）、肇庆（市区）等。

| 资源情况 | 野生资源较少，栽培资源丰富。药材来源于野生和栽培。

| 采收加工 | 夏、秋季采收，晒干或鲜用。

| 功能主治 | 苦、微酸，平。养肝滋肾，止咳平喘，利湿解毒。用于腹痛；外用于毒疮。

| 用法用量 | 内服煎汤，15 g。外用适量，鲜品捣敷。

| 凭证标本号 | 441623180910016LY。

蝶形花科 Papilionacese 猪屎豆属 *Crotalaria*

假苜蓿 *Crotalaria medicaginea* Lamk.

| 药 材 名 | 元江猪屎豆（药用部位：全草）。

| 形态特征 | 直立或铺地草本，基部常呈木质。茎被紧贴的丝质短柔毛。托叶丝状，长 2 ~ 3 mm；叶为三出指状复叶；小叶倒披针形或倒卵状长圆形，先端钝、平截或凹，上面无毛，下面密被丝质短柔毛；小叶柄短，长不及 1 mm。总状花序；花萼近钟形，略被短柔毛；花冠黄色。荚果圆球形，先端具短喙，直径 3 ~ 4 mm，被微柔毛；种子 2。花果期 8 ~ 12 月。

| 生境分布 | 生于荒地及海滨沙滩。分布于广东陆丰及珠海（市区）等。

| 资源情况 | 野生资源较少，栽培资源丰富。药材来源于野生和栽培。

| **采收加工** | 全年均可采收。

| **功能主治** | 清热，化湿，利尿，抗肿瘤。用于湿热病。

| **用法用量** | 内服煎汤，15 ~ 30 g。

| **凭证标本号** | 441283160903003LY。

蝶形花科 Papilionacese 猪屎豆属 *Crotalaria*

三尖叶猪屎豆 *Crotalaria micans* Link

| 药 材 名 | 美洲野百合（药用部位：全草。别名：黄野百合）。

| 形态特征 | 草本或亚灌木。茎枝各部密被锈色贴伏毛。托叶针形，长 2 ~ 4 mm，早落；叶为三出掌状复叶；小叶质薄，椭圆形或长椭圆形，上面仅中脉有毛，下面略被短柔毛。总状花序顶生；花萼密被锈色丝质柔毛；花冠黄色，伸出花萼外。荚果长圆形，幼时密被锈色柔毛，成熟后部分毛脱落，果颈长 2 ~ 4 mm；种子马蹄形，成熟时黑色，光滑。花果期 5 ~ 12 月。

| 生境分布 | 生于荒地上。分布于广东徐闻、陆丰及广州（市区）等。

｜资源情况｜ 野生资源较少，栽培资源丰富。药材来源于野生和栽培。

｜采收加工｜ 全年均可采收。

｜功能主治｜ 祛风除湿，消肿止痛，抗肿瘤。

｜凭证标本号｜ 440781190713023LY。

蝶形花科 Papilionacese 猪屎豆属 *Crotalaria*

猪屎豆 *Crotalaria pallida* Ait.

| 药 材 名 | 野花生（药用部位：根、种子、茎、叶。别名：猪屎青、土沙苑子、大马铃）。

| 形态特征 | 多年生草本。茎枝具小沟纹，密被紧贴的短柔毛。叶三出；小叶长圆形或椭圆形，先端钝圆或微凹，叶面无毛，背面略被丝光质短柔毛，两面叶脉清晰。总状花序顶生；花冠黄色，伸出花萼外，龙骨瓣具长喙，基部边缘具柔毛。荚果长圆形，长 3 ~ 4 cm，直径 5 ~ 8 mm，幼时被毛，成熟后毛脱落，果瓣开裂后扭转；种子 20 ~ 30。花果期 9 ~ 12 月。

| 生境分布 | 生于海拔 100 ~ 900 m 的荒山草地及砂壤土中。分布于广东大部分地区。

| 资源情况 | 野生资源较少，栽培资源丰富。药材来源于野生和栽培。

| 采收加工 | 夏、秋季采收，晒干。

| 功能主治 | 根，微苦、辛，平。解毒散结，消积。用于淋巴结结核，乳腺炎，痢疾，小儿疳积。种子，甘、涩，凉。补肝肾，明目，固精。用于头晕目花，神经衰弱，遗精，早泄，小便频数，遗尿，带下。茎、叶：苦、辛，平。清热祛湿。用于痢疾，湿热腹泻。

| 用法用量 | 内服煎汤，根 15 ~ 30 g，种子 6 ~ 15 g，茎、叶 6 ~ 18 g。

| 凭证标本号 | 440783201212002LY。

蝶形花科 Papilionacese 猪屎豆属 *Crotalaria*

吊裙草 *Crotalaria retusa* Linn.

| 药 材 名 | 凹叶野百合（药用部位：茎叶、根、种子）。

| 形态特征 | 直立草本。茎枝具浅小沟纹，被短柔毛。叶为单叶，叶脉清晰可见；叶柄短。总状花序顶生；花冠黄色，旗瓣圆形或椭圆形，长 1 ~

1.5 cm，基部具 2 耕胝体，翼瓣长圆形，长 1 ~ 1.5 cm，龙骨瓣约与翼瓣等长，中部以上变狭形成长喙，伸出花萼外。荚果长圆形，长 3 ~ 4 cm，无毛，果颈长约 2 mm；种子 10 ~ 20。花果期 10 月至翌年 4 月。

| 生境分布 | 生于荒山草地及沙滩海滨海拔较低处。分布于广东南海、台山、徐闻、惠东、海丰、龙川及湛江（市区）、广州（市区）、深圳（市区）、珠海（市区）等。

| 资源情况 | 野生资源较少，栽培资源丰富。药材来源于野生和栽培。

| 采收加工 | 全年均可采收。

| 功能主治 | 茎叶，止咳解毒，抗恶性肿瘤。根，用于胃肠胀气。种子，补肝，益肾，明目，固精。

| 凭证标本号 | 440825150210010LY。

蝶形花科 Papilionacese 猪屎豆属 *Crotalaria*

野百合 *Crotalaria sessiliflora* Linn.

| 药 材 名 | 农吉利（药用部位：全草。别名：鼠蛋草、响铃草）。

| 形态特征 | 一年生直立草本。通体被紧贴的长毛，略粗糙。单叶互生，先端通常有成束的毛，上面略被毛或几无毛，下面被丝毛，有光泽；托叶刚毛状。花紫蓝色，多朵组成顶生或腋生的总状花序；花冠蝶形，紫蓝色或淡蓝色。荚果无毛，长圆形，约与花萼等长；种子10 ~ 15。花果期 5 月至翌年 2 月。

| 生境分布 | 生于海拔 70 ~ 1 500 m 的荒地路旁及山谷草地。分布于广东南海、台山、徐闻、惠东、海丰、龙川及广州（市区）、深圳（市区）、珠海（市区）、湛江（市区）等。

| 资源情况 | 野生资源较少，栽培资源丰富。药材来源于野生和栽培。

| 采收加工 | 秋季果实成熟时采收，除去杂质，晒干或鲜用。

| 药材性状 | 本品茎呈圆柱形，长 20 ～ 90 cm，灰绿色，密被灰白色丝毛。单叶互生，叶片多皱卷，展平后呈线状披针形或线形，暗绿色，全缘，下面有丝状长毛。花萼5裂，外面密被棕黄色长毛。荚果长圆形，包于宿存萼内，灰褐色，种子肾形，深棕色，有光泽。无臭，味淡。以色绿、果实多者为佳。

| 功能主治 | 甘、淡，平；有毒。清热利湿，解毒消积。用于痢疾，热淋，喘咳，风湿痹痛，疔疮疖肿，毒蛇咬伤，小儿疳积，恶性肿瘤。

| 用法用量 | 内服煎汤，15 ～ 30 g。外用适量，鲜品捣敷。

| 凭证标本号 | 441825191001030LY。

蝶形花科 Papilionacese 黄檀属 *Dalbergia*

南岭黄檀 *Dalbergia assamica* Benth. [*Dalbergia balansae* Prain]

| 药 材 名 | 秧青（药用部位：心材。别名：南岭檀、水相思、黄类树）。

| 形态特征 | 乔木。树皮灰黑色，粗糙，有纵裂纹。羽状复叶；叶轴和叶柄被短柔毛。圆锥花序腋生，疏散；花冠白色，长 6 ~ 7 mm，各瓣均具柄，龙骨瓣近半月形。荚果舌状或长圆形，长 5 ~ 6 cm，宽 2 ~ 2.5 cm，两端渐狭，通常有种子 1，稀 2 ~ 3，果瓣对种子部分有明显网纹。花期 6 月。

| 生境分布 | 生于海拔 300 ~ 900 m 的山地杂木林中或灌丛中。分布于广东南雄、翁源、乳源、乐昌、连州、英德、新丰、龙门、梅县、平远、从化、高要、罗定及茂名（市区）、清远（市区）等。

| 资源情况 | 野生资源较少，栽培资源丰富。药材来源于野生和栽培。

| 采收加工 | 全年均可采收，砍碎，晒干或鲜用。

| 功能主治 | 辛，温。行气止痛，解毒消肿。

| 用法用量 | 内服煎汤，9 ~ 15 g。外用适量，研末撒敷；或鲜品捣敷。

| 凭证标本号 | 440281200711028LY。

蝶形花科 Papilionacese 黄檀属 *Dalbergia*

两粤黄檀 *Dalbergia benthamii* Prain

药材名 两广黄檀（药用部位：心材）。

形态特征 木质藤本，有时呈灌木状。枝干时褐色。奇数羽状复叶；叶轴和叶柄疏被贴伏微柔毛；小叶近革质，卵形或椭圆形，下面干时粉白色，略被贴伏微柔毛；小叶柄短，被疏毛。圆锥花序腋生；总花梗被锈色柔毛；花芳香。荚果薄革质，舌状长圆形，长 5 ～ 8 cm，宽 1.5 ～ 2 cm，全部具清晰的细网纹；种子狭长，极扁平。花期 2 ～ 3 月，果期 4 ～ 5 月。

生境分布 生于海拔 400 ～ 1 500 m 的山地疏林或灌丛中。分布于广东大埔、遂溪、博罗及东莞、肇庆（市区）、深圳（市区）、阳江（市区）等。

| 资源情况 | 野生资源较少，栽培资源丰富。药材来源于野生和栽培。

| 采收加工 | 全年均可采收。

| 功能主治 | 辛，温。活血通经。

| 凭证标本号 | 440882180603070LY。

蝶形花科 Papilionacese 黄檀属 *Dalbergia*

海南檀 *Dalbergia hainanensis* Merr. et Chun

| 药 材 名 | 花梨木（药用部位：心材。别名：花梨公）。

| 形态特征 | 乔木。树皮暗灰色，有槽纹；嫩枝略被短柔毛。羽状复叶；小叶嫩时两面被黄褐色贴伏短柔毛，成长时近无毛。圆锥花序腋生；花初时近圆形，极小；花冠粉红色。荚果长圆形，长 5 ~ 9 cm，宽 1.5 ~ 1.8 cm，直或稍弯，先端急尖，基部楔形，渐狭下延为一短果颈，果瓣被褐色短柔毛，对种子部分不明显凸起，有网纹，有种子 1（~ 2）。

| 生境分布 | 生于山地林中。广东中部、西部和南部等有栽培。

| 资源情况 | 野生资源较少，栽培资源丰富。药材来源于野生和栽培。

| **采收加工** | 全年均可采收，切片，晒干。

| **功能主治** | 辛，温。理气止痛，止血。用于胃痛气痛，刀伤出血。

| **用法用量** | 内服煎汤，9 ~ 15 g。

蝶形花科 Papilionacese 黄檀属 *Dalbergia*

藤黄檀 *Dalbergia hancei* Benth.

| 药材名 | 藤檀（药用部位：茎、根。别名：大香藤、痛必灵、梣果藤）。

| 形态特征 | 藤本。枝纤细，小枝有时变钩状或旋扭。小叶嫩时两面被贴伏疏柔毛，成长时叶面无毛。总状花序远较复叶短，幼时包藏于舟状、覆瓦状排列、早落的苞片内，数个总状花序常再集成腋生短圆锥花序；花冠绿白色，芳香。荚果扁平，长圆形或带状，无毛，基部收缩为一细果颈；种子通常 1，稀 2 ~ 4，肾形，极扁平。花期 4 ~ 5 月。

| 生境分布 | 生于山坡灌丛中或山谷溪旁。分布于广东中部、西部、东部至北部等。

| 资源情况 | 野生资源较少，栽培资源丰富。药材来源于野生和栽培。

| **采收加工** | 夏、秋季采收，切片，晒干。

| **功能主治** | 辛，温。理气止痛。茎用于胃痛，腹痛，胸胁痛；根用于腰腿关节痛。

| **用法用量** | 内服煎汤，茎 3 ~ 9 g，根 2.4 ~ 4.5 g。

| **凭证标本号** | 441523190516045LY。

蝶形花科 Papilionacese 黄檀属 *Dalbergia*

黄檀 *Dalbergia hupeana* Hance

药材名 檀树（药用部位：根。别名：黄檀树）。

形态特征 乔木。树皮暗灰色，呈薄片状剥落；幼枝淡绿色，无毛。羽状复叶近革质；小叶两面无毛，细脉隆起，叶面有光泽。圆锥花序顶生或生于最上部的叶腋间；花冠白色或淡紫色，长于花萼。荚果长圆形或阔舌状，先端急尖，基部渐狭成果颈，果瓣薄革质，对种子部分有网纹，有 1 ~ 2（~ 3）种子；种子肾形，长 7 ~ 14 mm，宽 5 ~ 9 mm。花期 5 ~ 7 月。

生境分布 生于海拔 600 ~ 1 400 m 的林中、灌丛中、山沟溪旁及坡地。分布于广东始兴、乳源、乐昌、怀集、博罗、阳山、连山、新兴及广州（市区）等。

| 资源情况 | 野生资源较少，栽培资源丰富。药材来源于野生和栽培。

| 采收加工 | 夏、秋季采收，切片，晒干。

| 功能主治 | 辛，平；有小毒。活血止痛。用于疥疮疔毒，毒蛇咬伤，细菌性痢疾，跌打损伤。

| 用法用量 | 内服煎汤，15 ~ 30 g。外用适量，研末调敷。

| 凭证标本号 | 440281190427039LY。

蝶形花科 Papilionacese 黄檀属 *Dalbergia*

香港黄檀 *Dalbergia millettii* Benth.

| 药 材 名 | 倒钩刺（药用部位：叶。别名：孟葛藤、细叶黄檀、油香藤）。

| 形态特征 | 藤本。枝无毛，干时黑色，有时短枝钩状。羽状复叶。圆锥花序腋生；花冠白色，花瓣具柄。荚果长圆形至带状，扁平，无毛，长 4 ~ 6 cm，宽 12 ~ 16 mm，先端钝或圆，基部阔楔形，具短果颈，果瓣革质，全部有网纹，对种子部分网纹较明显，有种子 1（~ 2）；种子肾形，扁平，长 8 ~ 12 mm，宽约 6 mm。花期 5 月。

| 生境分布 | 生于海拔 350 ~ 800 m 的山谷疏林中或密林中。分布于广东乳源、南澳、怀集、大埔、紫金及深圳（市区）等。

| 资源情况 | 野生资源较少，栽培资源丰富。药材来源于野生和栽培。

| 采收加工 | 夏、秋季采收，晒干或鲜用。

| 功能主治 | 苦，寒。清热解毒。用于疔疮，痈疽，蜂窝织炎，毒蛇咬伤。

| 用法用量 | 内服煎汤，15 ~ 30 g。外用适量，鲜品捣敷。

| 凭证标本号 | 441523190515011LY。

蝶形花科 Papilionacese 黄檀属 *Dalbergia*

降香 *Dalbergia odorifera* T. Chen

| 药 材 名 | 花梨母（药用部位：树干和根部心材。别名：降香黄檀、花梨木、降香檀）。

| 形态特征 | 乔木。高 10 ~ 18 m。除幼嫩部分、花序及子房略被短柔毛外，全株无毛。树皮褐色或淡褐色，粗糙，有纵裂槽纹。小枝有小而密集的皮孔。羽状复叶；小叶近革质。圆锥花序腋生，分枝呈伞房花序状；花冠乳白色或淡黄色，龙骨瓣半月形，背弯拱。荚果舌状长圆形，果瓣革质，对种子的部分明显凸起，状如棋子，厚可达 5 mm，有种子 1（~ 2）。

| 生境分布 | 生于中海拔的山坡疏林中。广东各地均有栽培。

| 资源情况 | 野生资源较少，栽培资源丰富。药材来源于野生和栽培。

| 采收加工 | 全年均可采收，切片，晒干。

| 药材性状 | 本品呈类圆柱形或不规则块状。表面紫红色或红褐色，切面有致密的纹理。质硬，有油性。气微香，味微苦。

| 功能主治 | 辛，温。行气活血，止痛止血。用于脘腹疼痛，肝郁胁痛，胸痹刺痛，跌打损伤，外伤出血。

| 用法用量 | 内服煎汤，9 ~ 15 g。外用适量，研末敷。入煎剂宜后下。

| 凭证标本号 | 440523190728009LY。

蝶形花科 Papilionacese 黄檀属 *Dalbergia*

斜叶黄檀 *Dalbergia pinnata* (Lour.) Prain

| 药 材 名 | 羽叶檀（药用部位：叶。别名：罗望子叶黄檀、斜叶檀）。

| 形态特征 | 乔木。高 5 ~ 13 m，或有时具长而曲折的枝条而成为藤状灌木。奇数羽状复叶；小叶纸质，两面被褐色短柔毛，下面青白色；小叶柄短。圆锥花序腋生；花冠白色，各瓣均具长柄，旗瓣卵形，反折，龙骨瓣有下弯的耳。荚果薄，先端圆，有小凸尖，基部阔楔形，具细长果颈，绿色，有细网纹；种子狭长。花期 1 ~ 4 月，果期 6 ~ 7 月。

| 生境分布 | 生于海拔 600 m 以下的山地密林中。分布于广东高州、信宜、高要、阳春及阳江（市区）、云浮（市区）、广州（市区）等。

| 资源情况 | 野生资源较少，栽培资源丰富。药材来源于野生和栽培。

| 采收加工 | 夏、秋季采收，切碎，晒干或鲜用。

| 功能主治 | 辛，温。祛风止痛，活血，敛疮。用于风湿痹痛，跌打损伤，月经不调，下肢溃疡。

| 用法用量 | 内服煎汤，15 ~ 30 g。外用适量，捣敷。

| 凭证标本号 | 441224180831002LY。

蝶形花科 Papilionacese 假木豆属 *Dendrolobium*

假木豆 *Dendrolobium triangulare (Retz.) Schindl.*

| 药 材 名 | 野蚂蝗（药用部位：根、叶。别名：明金条、木黄豆、千金不藤）。

| 形态特征 | 灌木。嫩枝三棱形，密被灰白色丝状毛，老时变无毛。叶为三出羽状复叶；小叶硬纸质，叶面无毛，背面被长丝状毛，脉上毛尤密。伞形花序腋生；花冠白色或淡黄色。荚果长 2 ~ 2.5 cm，稍弯曲，有荚节 3 ~ 6，被贴伏丝状毛；种子椭圆形，长 2.5 ~ 3.5 mm，宽 2 ~ 2.5 mm。花期 8 ~ 10 月，果期 10 ~ 12 月。

| 生境分布 | 生于山坡、灌木林中。分布于广东德庆、新兴、郁南、罗定及广州（市区）、肇庆（市区）等。

| 资源情况 | 野生资源较少，栽培资源丰富。药材来源于野生和栽培。

| 采收加工 | 夏、秋季采收，晒干。

| 功能主治 | 辛、甘，寒。清热凉血，强筋壮骨，健脾利湿。用于喉痛，腹泻，跌打损伤，骨折，内伤吐血。

| 用法用量 | 内服煎汤，7.5 ~ 15 g。外用适量，捣烂加酒糟炒热敷。

| 凭证标本号 | 441225180727003LY。

蝶形花科 Papilionacese 鱼藤属 *Derris*

白花鱼藤 *Derris alborubra* Hemsl.

| 药 材 名 | 白花鱼藤（药用部位：根）。

| 形态特征 | 常绿木质藤本。羽状复叶；叶柄基部增厚，上面有沟槽。圆锥花序顶生或腋生，狭窄；花序轴和花梗薄被微柔毛；花萼红色，斜钟状；花冠白色，先端被微柔毛；子房被黄色柔毛。荚果革质，斜卵形或斜长椭圆形，长 2 ~ 5 cm，宽 2.2 ~ 2.5 cm，扁平，无毛，腹缝翅宽 3 ~ 4 mm，背缝翅宽约 1 mm，通常有种子 1 ~ 2。花期 4 ~ 6 月，果期 7 ~ 10 月。

| 生境分布 | 生于山地疏林或灌丛中。分布于广东台山及广州（市区）等。

| 资源情况 | 野生资源较少，栽培资源丰富。药材来源于野生和栽培。

| **采收加工** | 全年均可采收。

| **功能主治** | 苦，平；有毒。杀虫。用于疥癣。

| **用法用量** | 外用适量，煎汤洗。

| **凭证标本号** | 441421180610092LY。

蝶形花科 Papilionacese 鱼藤属 *Derris*

中南鱼藤 *Derris fordii* Oliv.

| 药 材 名 | 毒鱼藤（药用部位：藤茎、叶。别名：霍氏鱼藤）。

| 形态特征 | 攀缘状灌木。羽状复叶；小叶厚纸质或薄革质。圆锥花序腋生，稍短于复叶；花序轴和花梗有极稀少的黄褐色短硬毛；花萼钟状，上部被极稀疏的柔毛；花冠白色。荚果薄革质，长椭圆形至舌状长椭圆形，扁平，无毛，腹缝翅宽 2 ~ 3 mm，背缝翅宽不足 1 mm，有种子 1 ~ 4；种子褐红色，长肾形。花期 4 ~ 5 月，果期 10 ~ 11 月。

| 生境分布 | 生于山地路旁或山谷的灌木林、疏林中。分布于广东始兴、仁化、翁源、乳源、新丰、乐昌、南雄、怀集、博罗、龙门、大埔、蕉岭、龙川、连平、和平、阳春、阳山、连山、英德、连州及广州（市区）等。

| 资源情况 | 野生资源较少，栽培资源丰富。药材来源于野生和栽培。

| 采收加工 | 夏、秋季采收藤茎、叶，藤茎切片晒干，叶晒干。

| 药材性状 | 本品藤茎圆柱形，表面粗糙，折断面木部占大部分。完整叶为羽状复叶；小叶 5 ~ 7，小叶椭圆形或卵状长圆形，长 4 ~ 12 cm，宽 2 ~ 5 cm，先端短尾状而稍钝，基部楔形，全缘，黄绿色，两面均光滑，近革质。气微。

| 功能主治 | 苦，平；有毒。杀虫解毒。外用于疮毒，皮炎，湿疹，跌打肿痛，关节疼痛。

| 用法用量 | 外用适量，煎汤洗；或研末敷。

| 凭证标本号 | 441523190515013LY。

蝶形花科 Papilionacese 鱼藤属 *Derris*

边荚鱼藤 *Derris marginata* (Roxb.) Benth.

| 药 材 名 | 纤毛萼鱼藤（药用部位：根）。

| 形态特征 | 攀缘状灌木。除花萼、子房被疏柔毛外全株无毛。羽状复叶；小叶近革质，倒卵状椭圆形或倒卵形。圆锥花序腋生；花冠白色或淡红色，无毛，旗瓣阔卵形；雄蕊单体；子房无柄。荚果薄，舌状长椭圆形，长 7 ~ 10（~ 15）cm，宽 2 ~ 4 cm，无毛，有小网纹，腹缝翅宽 6 ~ 8 mm，背缝翅宽 2 ~ 3 mm；花期 4 ~ 5 月，果期 11 月至翌年 1 月。

| 生境分布 | 生于山地疏林或密林中。分布于广东始兴、仁化、翁源、乳源、新丰、乐昌、南雄、怀集、博罗、龙门、大埔、蕉岭、龙川、连平、和平、阳春、阳山、连山、英德、连州及广州（市区）等。

| **资源情况** | 野生资源较少，栽培资源丰富。药材来源于野生和栽培。

| **采收加工** | 全年均可采收。

| **功能主治** | 苦，平；有毒。杀虫止痒。用于疥癣。

| **用法用量** | 外用适量，煎汤洗。

蝶形花科 Papilionacese 鱼藤属 *Derris*

鱼藤 *Derris trifoliata* Lour.

| 药 材 名 | 毒鱼藤（药用部位：根、茎叶。别名：露藤）。

| 形态特征 | 攀缘状灌木。枝、叶均无毛。羽状复叶；小叶厚纸质或薄革质。总状花序腋生；花冠白色或粉红色。荚果狭卵形、圆形或阔长椭圆形，长 2.5 ~ 4 cm，宽 2 ~ 3 cm，扁平，无毛，仅于腹缝有狭翅，有种子1 ~ 2。花期 4 ~ 8 月，果期 8 ~ 12 月。

| 生境分布 | 多见于沿海河岸灌丛、海边灌木林或近海岸的红树林中。分布于广东台山、徐闻、饶平、惠东及广州（市区）、深圳（市区）、珠海（市区）、阳江（市区）、东莞等。

| 资源情况 | 野生资源较少，栽培资源丰富。药材来源于野生和栽培。

| 采收加工 | 根，全年均可采挖，洗净，切片，晒干。茎叶，夏、秋季采收，多鲜用。

| 药材性状 | 本品藤茎圆柱形，木质化，质较硬。完整叶为羽状复叶，小叶多为3，稀5；小叶片展平后呈卵状披针形，先端渐尖，基部浅心形或圆形，全缘；黄绿色，光滑，革质。气微，味苦；小毒。

| 功能主治 | 辛，温；有小毒。散瘀止痛，杀虫。用于跌打肿痛，关节疼痛，疥癣，湿疹。

| 用法用量 | 外用适量，煎汤洗，或捣烂，以酒水各半煮热温敷。

蝶形花科 Papilionacese 山蚂蟥属 *Desmodium*

小槐花 *Desmodium caudatum* (Thunb.) DC.

| 药 材 名 | 清酒缸（药用部位：全株或根。别名：草鞋板、羊带归、拿身草）。

| 形态特征 | 直立灌木或亚灌木。树皮灰褐色，分枝多。叶为羽状三出复叶；小叶近革质或纸质，全缘，叶面绿色，有光泽。总状花序顶生或腋生，花序轴密被柔毛并混生小钩状毛；花冠绿白色或黄白色，具明显脉纹。荚果线形，扁平，长 5 ~ 7 cm，稍弯曲，被伸展的钩状毛，腹背缝线浅，缢缩，有荚节 4 ~ 8，荚节长椭圆形，长 9 ~ 12 mm，宽约 3 mm。花期 7 ~ 9 月，果期 9 ~ 11 月。

| 生境分布 | 生于海拔 150 ~ 1 000 m 的山坡林下或草地。分布于广东除西南部以外的各个地区。

| 资源情况 | 野生资源较少，栽培资源丰富。药材来源于野生和栽培。

| 采收加工 | 夏、秋季采收，洗净，晒干，或鲜品随采随用。

| 功能主治 | 全株，微苦、辛，平。清热利湿，消积散瘀。用于呕吐，泄泻，疟腮，咳嗽，吐血，疮疖。根，微苦，温。祛风利湿，化瘀拔毒。用于感冒发热，胃肠炎，痢疾，小儿疳积，风湿关节痛；外用于毒蛇咬伤，痈疖疔疮，乳腺炎。

| 用法用量 | 内服煎汤，15 ~ 30 g。外用适量，鲜全株煎汤洗；或捣敷。

| 凭证标本号 | 441825190805018LY。

蝶形花科 Papilionacese 山蚂蟥属 *Desmodium*

大叶山蚂蟥 *Desmodium gangeticum* (Linn.) DC.

| 药 材 名 | 红母鸡草（药用部位：全株。别名：恒河山绿豆、单叶山蚂蝗、大叶山绿豆）。

| 形态特征 | 亚灌木。茎柔弱，稍具棱，分枝多。叶具单小叶；小叶纸质，长椭圆状卵形。总状花序；花冠绿白色，长 3 ~ 4 mm。荚果密集，略弯曲，长 1.2 ~ 2 cm，宽约 2.5 mm，腹缝线稍直，背缝线波状，有荚节 6 ~ 8，荚节近圆形或宽长圆形，长 2 ~ 3 mm，被钩状短柔毛。花期 4 ~ 8 月，果期 8 ~ 9 月。

| 生境分布 | 生于海拔 100 ~ 900 m 的荒地草丛或次生林中。分布于广东南海、顺德、台山、徐闻、郁南、罗定、博罗、阳山及广州（市区）、深圳（市区）、茂名（市区）、肇庆（市区）、云浮（市区）、东莞等。

| 资源情况 | 野生资源较少，栽培资源丰富。药材来源于野生和栽培。

| 采收加工 | 全年均可采收，鲜用。

| 功能主治 | 甘、微辛，平。祛瘀调经，解毒止痛。用于跌打损伤，阴挺，脱肛，腹痛，牛皮癣，神经性皮炎。

| 用法用量 | 外用适量，鲜品捣敷。

| 凭证标本号 | 440781191105006LY。

蝶形花科 Papilionacese 山蚂蟥属 *Desmodium*

假地豆 *Desmodium heterocarpon* (Linn.) DC.

| 药 材 名 | 异果山绿豆（药用部位：全株。别名：山花生、大叶青、稗豆）。

| 形态特征 | 亚灌木。茎直立或平卧。叶为羽状三出复叶；小叶纸质，叶面无毛，无光泽，背面被贴伏白色短柔毛，全缘。总状花序顶生或腋生；总花梗密被淡黄色开展的钩状毛；花极密；花冠紫红色、紫色或白色。荚果密集，狭长圆形，长 12 ~ 20 mm，宽 2.5 ~ 3 mm，腹缝线浅波状，腹背两缝线被钩状毛，有荚节 4 ~ 7，荚节近方形。花期 7 ~ 10 月，果期 10 ~ 11 月。

| 生境分布 | 生于山谷、水旁、灌丛或林中。分布于广东始兴、翁源、高明、台山、徐闻、高州、怀集、封开、大埔、海丰、连平、阳春、阳山、连山、英德、罗定及茂名（市区）、肇庆（市区）、云浮（市区）、惠州（市

区）、广州（市区）、深圳（市区）、汕头（市区）等。

| **资源情况** | 野生资源较少，栽培资源丰富。药材来源于野生和栽培。

| **采收加工** | 9 ~ 10 月采收，晒干或鲜用。

| **功能主治** | 甘、微苦，寒。清热，利尿，解毒。用于肺热咳喘，水肿，淋证，尿血，跌打肿痛，毒蛇咬伤，痈疖，暑温，痄腮。

| **用法用量** | 内服煎汤，15 ~ 60 g。外用适量，鲜品捣敷。

| **凭证标本号** | 441825190926014LY。

蝶形花科 Papilionacese 山蚂蟥属 *Desmodium*

异叶山蚂蝗 *Desmodium heterophyllum* (Willd.) DC.

| 药 材 名 | 铁线草（药用部位：全草。别名：异叶山绿豆、田胡蜘蛛、变叶山蚂蝗）。

| 形态特征 | 平卧草本。叶为羽状三出复叶；小叶纸质。花单生或成对生于叶腋，或 2 ～ 3 花散生于总花梗上；花冠紫红色至白色，翼瓣具短耳，龙骨瓣稍弯曲。荚果长 12 ～ 18 mm，宽约 3 mm，腹缝线直，背缝线深波状，有 3 ～ 5 荚节，扁平，长 3.5 ～ 4 mm，有网纹，有钩状毛及少数散生的柔毛。花果期 7 ～ 10 月。

| 生境分布 | 生于河边、田边及路旁草地。分布于广东始兴、台山、徐闻、封开、德庆、惠东、龙门、大埔、平远、蕉岭、陆丰、和平、连山、新兴及湛江（市区）、茂名（市区）、惠州（市区）、广州（市区）等。

| 资源情况 | 野生资源较少，栽培资源丰富。药材来源于野生和栽培。

| 采收加工 | 9 ~ 10 月采收，晒干。

| 功能主治 | 甘、淡，凉。清热解毒，利尿通淋。用于尿路结石，跌打瘀肿，外伤出血。

| 用法用量 | 内服煎汤，30 ~ 60 g。外用适量。

| 凭证标本号 | 440605210304005LY。

蝶形花科 Papilionacese 山蚂蟥属 *Desmodium*

大叶拿身草 *Desmodium laxiflorum* DC.

| 药 材 名 | 疏花山蚂蝗（药用部位：全株）。

| 形态特征 | 直立或平卧灌木或亚灌木。茎具不明显的棱，被紧贴伏毛和小钩状毛。叶为羽状三出复叶。总状花序腋生或顶生，顶生时具少数分枝，呈圆锥花序状；花冠紫罗兰色或白色。荚果长 2 ~ 6 cm，背腹两缝线于荚节处稍缢缩，具 4 ~ 12 荚节，荚节长圆形，长 4 ~ 5 mm，宽 1.5 ~ 2 mm，密被小钩状毛。花期 8 ~ 10 月，果期 10 ~ 11 月。

| 生境分布 | 生于山地林缘、灌丛或草坡。分布于广东始兴、翁源、新丰、信宜、博罗、龙门、梅县、和平、阳春、新兴、罗定及肇庆（市区）等。

| 资源情况 | 野生资源较少，栽培资源丰富。药材来源于野生和栽培。

| 采收加工 | 9 ~ 10 月采收，晒干。

| 药材性状 | 本品茎圆柱形，长 50 ~ 100 cm，密生短柔毛，具不明显的棱；质脆；折断面髓部明显。叶为三出复叶，小叶 3，卵形或椭圆形，先端急尖，基部圆形，全缘，长 4.5 ~ 15 cm，宽 3 ~ 6.2 cm，表面枯绿色，下表面具毛茸，两侧小叶较小。气微。有时可见荚果，长 1.8 ~ 5.8 cm，有 4 ~ 12 节，节处缢缩，表面密被带钩的黄棕色小毛。气微。

| 功能主治 | 甘，平。活血，平肝，清热，利湿，解毒。用于跌打损伤，高血压，肝炎，肾炎性水肿，膀胱结石，过敏性皮炎，梅毒。

| 用法用量 | 内服煎汤，15 ~ 30 g。外用适量，捣敷。

| 凭证标本号 | 441623180914008LY。

蝶形花科 Papilionacese 山蚂蝗属 *Desmodium*

小叶三点金 *Desmodium microphyllum* (Thunb.) DC.

|药 材 名| 铺地山绿豆（药用部位：全草。别名：红藤、小叶山蚂蝗）。

|形态特征| 多年生草本。羽状三出复叶或单小叶；小叶薄纸质，倒卵状长椭圆形或长椭圆形。总状花序顶生或腋生，被黄褐色柔毛；花冠粉红色，与花萼近等长，旗瓣倒卵形或倒卵状圆形，翼瓣倒卵形，龙骨瓣长椭圆形；雄蕊二体，长约 5 mm；子房线形，被毛。荚果长约 12 mm，宽约 3 mm，荚节扁平。花期 5 ~ 9 月，果期 9 ~ 11 月。

|生境分布| 生于海拔 150 ~ 1 200 m 的荒地草丛中或灌木林中。分布于广东始兴、仁化、翁源、乳源、乐昌、南雄、南澳、怀集、连平、阳山、连山、英德及深圳（市区）等。

| 资源情况 | 野生资源较少，栽培资源丰富。药材来源于野生和栽培。

| 采收加工 | 夏、秋季采收，除去杂质，切段，晒干。

| 功能主治 | 甘，平。健脾利湿，止咳平喘，解毒消肿。用于小儿疳积，黄疸，痢疾，咳嗽，哮喘，支气管炎；外用于毒蛇咬伤，痈疮溃烂，漆疮，痔疮。

| 用法用量 | 内服煎汤，20 ~ 40 g。

| 凭证标本号 | 441825190807014LY。

蝶形花科 Papilionacese 山蚂蟥属 *Desmodium*

饿蚂蝗 *Desmodium multiflorum* DC.

| 药 材 名 | 山黄豆（药用部位：全株或根。别名：多花山蚂蝗、粘身草、红掌草）。

| 形态特征 | 直立灌木。幼枝具棱角，密被淡黄色至白色柔毛，老时渐变无毛。叶为羽状三出复叶；小叶近革质，叶面几无毛，被贴伏或伸展丝状毛。花序顶生或腋生，顶生者多为圆锥花序，腋生者为总状花序；花冠紫色。荚果长 15 ~ 24 mm，腹缝线近直或微波状，背缝线圆齿状，有荚节 4 ~ 7，荚节倒卵形，长 3 ~ 4 mm，宽约 3 mm。花期 7 ~ 9 月，果期 8 ~ 10 月。

| 生境分布 | 生于海拔 500 ~ 1 200 m 的草地或林缘。分布于广东仁化、乳源、乐昌、怀集、大埔、兴宁、阳山、连山、连南及广州（市区）、

深圳（市区）等。

| 资源情况 | 野生资源较少，栽培资源丰富。药材来源于野生和栽培。

| 采收加工 | 夏、秋季采收，晒干。

| 功能主治 | 甘，凉。清热解毒，消食止痛。用于脘腹疼痛，小儿疳积，妇女干血痨，腰扭伤，创伤，尿道炎，腮腺炎，毒蛇咬伤。

| 用法用量 | 内服煎汤，9 ~ 30 g；或与猪瘦肉炖汤服。

| 凭证标本号 | 441823190929031LY。

蝶形花科 Papilionacese 山蚂蟥属 *Desmodium*

显脉山绿豆 *Desmodium reticulatum* Champ. ex Benth.

|药 材 名| 假花生（药用部位：全株。别名：山地豆）。

|形态特征| 直立亚灌木。嫩枝被贴伏疏毛，老时无毛。叶为羽状三出复叶；小叶厚纸质，上面无毛，下面被贴伏疏柔毛，全缘。总状花序顶生；总花梗密被钩状毛；花冠初时粉红色，后变蓝色。荚果长 10 ~ 20 mm，宽约 2.5 mm，腹缝线直，背缝线波状，近无毛或被钩状短柔毛，有 3 ~ 7 荚节。花期 6 ~ 8 月，果期 9 ~ 10 月。

|生境分布| 生于丘陵山地灌丛或草坡中。分布于广东南澳、新会、徐闻、封开、博罗、惠东、龙门、丰顺及茂名（市区）、肇庆（市区）、广州（市区）、深圳（市区）、阳江（市区）、云浮（市区）等。

| 资源情况 | 野生资源较少，栽培资源丰富。药材来源于野生和栽培。

| 采收加工 | 全年均可采收，鲜用。

| 功能主治 | 淡，凉。去腐，生肌。用于痢疾，刀伤。

| 用法用量 | 内服煎汤，15 ~ 20 g。外用适量，鲜品捣敷。

| 凭证标本号 | 441225180721011LY。

蝶形花科 Papilionacese 山蚂蟥属 *Desmodium*

赤山蚂蝗 *Desmodium rubrum* (Lour.) DC.

| 药 材 名 | 赤山绿豆（药用部位：叶。别名：单叶假地豆）。

| 形态特征 | 亚灌木。茎直立或平卧。叶通常具单小叶，稀为三出复叶；小叶硬纸质，全缘，上面无毛，下面疏被贴伏柔毛。总状花序顶生，被黄色钩状毛；花冠蓝色或粉红色。荚果扁平，长约 2 cm，微弯曲，腹缝线直，背缝线波状，有 2 ~ 7 荚节，荚节近方形，无毛，有明显的网纹。花果期 4 ~ 6 月。

| 生境分布 | 生于荒地和海滨沙地。分布于广东吴川、雷州及阳江（市区）、湛江（市区）等。

| **资源情况** | 野生资源较少，栽培资源丰富。药材来源于野生和栽培。

| **采收加工** | 全年均可采收。

| **功能主治** | 清热解毒，消食健胃，消炎止泻，利湿。

| **凭证标本号** | 440882180602089LY。

蝶形花科 Papilionacese 山蚂蟥属 *Desmodium*

长波叶山蚂蝗 *Desmodium sequax* Wall.

| 药 材 名 | 粘人花（药用部位：根、茎、叶、果实。别名：波叶山蚂蝗、瓦子草）。

| 形态特征 | 灌木。幼枝和叶柄被锈色柔毛，有时混有小钩状毛。叶为羽状三出复叶；小叶纸质，边缘自中部以上呈波状，叶面密被贴伏小柔毛或渐无毛，背面被贴伏柔毛并混有小钩状毛。总状花序；花冠紫色。荚果腹背两缝线缢缩成念珠状，长 3 ~ 4.5 cm，宽 3 mm，有荚节 6 ~ 10，荚节近方形，密被开展的褐色小钩状毛。花期 7 ~ 9 月，果期 9 ~ 11 月。

| 生境分布 | 生于山谷、草坡或林缘。分布于广东怀集、封开、阳山、连山、连南、罗定等。

| 资源情况 | 野生资源较少，栽培资源丰富。药材来源于野生和栽培。

| 采收加工 | 茎、叶，夏、秋季采收，晒干。

| 功能主治 | 根，微苦、涩，温；有小毒。润肺止咳，驱虫。茎、叶，微苦、涩，平。清热泻火，活血祛瘀，敛疮。果实，涩，平。收敛止血。

| 用法用量 | 内服煎汤，30 ~ 60 g。

| 凭证标本号 | 445222191026018LY。

蝶形花科 Papilionacese 山蚂蟥属 *Desmodium*

广东金钱草 *Desmodium styracifolium* (Osb.) Merr.

| 药材名 | 金钱草（药用部位：全草。别名：落地金钱、铜钱草、广金钱草）。

| 形态特征 | 亚灌木状草本。小枝密被黄色开展的长硬毛。小叶近革质，上面无毛，下面密被灰白色贴伏长丝毛。花排成顶生或腋生的总状花序；花密集，常 2 ~ 3 聚生于花序总轴的节上；花冠紫红色，蝶形。荚果扁平，长 1 ~ 2 cm，宽约 2.5 mm，被毛，有荚节 3 ~ 6；荚节近方形，长和宽几相等；种子肾形，长约 2 mm，黑褐色。花果期 6 ~ 9 月。

| 生境分布 | 生于海拔 1 000 m 以下的山坡、草地或灌丛中。分布于广东新会、博罗、海丰、新兴及广州（市区）、深圳（市区）、肇庆（市区）、云浮（市区）等。广东各地均有栽培。

| 资源情况 | 野生资源较少，栽培资源丰富。药材来源于野生和栽培。

| 采收加工 | 夏、秋季采收，抖净泥沙，扎成小把，晒干。

| 药材性状 | 本品茎枝呈圆柱形，长而柔软，直径 0.2 ~ 0.3 cm，密被黄绿色开展的毛茸；质稍脆；断面有髓。叶互生，小叶 1 ~ 3，叶片革质，圆形，先端略凹入，基部心形，全缘，直径 2 ~ 5.5 cm，叶面淡绿色，叶背具灰白色紧贴的长丝毛；托叶 1 对，披针形，锐尖，长约 0.8 cm。气微香，味淡、微甘。以色绿、叶多者为佳。

| 功能主治 | 甘、淡，凉。清热利湿，通淋排石。用于尿路感染，热淋，石淋，小便涩痛，水肿尿少，黄疸尿赤，胆石症，急性黄疸性肝炎。

| 用法用量 | 内服煎汤，15 ~ 30 g。孕妇忌服。

| 凭证标本号 | 445222181004003LY。

蝶形花科 Papilionacese 山蚂蟥属 *Desmodium*

三点金 *Desmodium triflorum* (Linn.) DC.

| 药 材 名 | 三花山绿豆（药用部位：全草。别名：八字草、蝇翅草、三点金草）。

| 形态特征 | 多年生平卧草本。叶为羽状三出复叶；小叶纸质。花单生或 2 ~ 3 簇生于叶腋；花冠紫红色，长与花萼近相等。荚果扁平，狭长圆形，略呈镰状，长 5 ~ 12 mm，宽 2.5 mm，腹缝线直，背缝线波状，有荚节 3 ~ 5，荚节近方形，长 2 ~ 2.5 mm，被钩状短毛，具网脉。花果期 6 ~ 10 月。

| 生境分布 | 生于旷野荒地草丛中或河边砂土上。分布于广东乐昌、南澳、徐闻、高要、蕉岭、海丰、阳春、惠来、郁南、罗定及广州（市区）、阳江（市区）、深圳（市区）、茂名（市区）等。

| 资源情况 | 野生资源较少，栽培资源丰富。药材来源于野生和栽培。

| 采收加工 | 夏季采收，鲜用或晒干。

| 功能主治 | 苦、微辛，温。理气和中，祛风活血。用于中暑腹痛，泄泻，疝气，月经不调，痛经，产后关节痛，跌打损伤，漆疮，乳腺炎。

| 用法用量 | 内服煎汤，9 ~ 15 g，鲜品 15 ~ 30 g。外用适量，鲜品加盐少许，捣敷。孕妇忌服。

| 凭证标本号 | 441523190921017LY。

蝶形花科 Papilionacese 野扁豆属 *Dunbaria*

黄毛野扁豆 *Dunbaria fusca* (Wall.) Kurz

| 药 材 名 |

黄毛野扁豆（药用部位：全株或根、叶）。

| 形态特征 |

多年生缠绕藤本。茎具明显纵棱，密被灰色短柔毛。叶具羽状 3 小叶；小叶纸质，下面密被灰色至灰褐色短柔毛并具深红色腺点。总状花序腋生；花冠紫红色；子房密被金黄色长硬毛。荚果线状长圆形，4 ~ 6 cm，宽 4 ~ 7 mm，黑褐色，被淡褐色或黄褐色、基部略膨大的长硬毛；种子多数。花期 7 ~ 9 月，果期 10 ~ 12 月。

| 生境分布 |

常生于海拔 200 ~ 1 200 m 的山谷、山坡或旷野草地上。分布于广东德庆、高要、海丰及广州（市区）、深圳（市区）等。

| 资源情况 |

野生资源较少，栽培资源丰富。药材来源于野生和栽培。

| **采收加工** | 全年均可采收。

| **功能主治** | 全株，用于天花；外用于疮疡肿毒。根、叶，健胃，利尿。

| **凭证标本号** | 441224180830003LY。

蝶形花科 Papilionacese 野扁豆属 *Dunbaria*

长柄野扁豆 *Dunbaria podocarpa* Kurz

药材名 山绿豆（药用部位：全株或叶）。

形态特征 多年生缠绕藤本。茎密被灰色短柔毛，具纵棱，棱上被较密毛。叶具羽状 3 小叶。短总状花序腋生；花冠黄色，龙骨瓣极弯曲，具长喙，无耳。荚果线状长圆形，长 5 ～ 8 cm，宽 0.9 ～ 1.1 cm，密被灰色短柔毛和橙黄色细小腺点，先端具长喙，果颈长 1.5 ～ 1.7 cm；种子 7 ～ 11，近圆形，扁平，黑色，长、宽均约 4 mm。花果期 6 ～ 11 月。

生境分布 生于河边、灌丛或攀缘于树上。分布于广东从化、鹤山、徐闻、封开、德庆、博罗、惠东、海丰、连山、连南、郁南及深圳（市区）、阳江（市区）、茂名（市区）、肇庆（市区）、云浮（市区）等。

| 资源情况 | 野生资源较少，栽培资源丰富。药材来源于野生和栽培。

| 采收加工 | 夏、秋季采收，晒干或鲜用。

| 功能主治 | 甘，平。清热解毒，消肿止带。用于咽喉肿痛，乳痈，牙痛，毒蛇咬伤，带下过多。

| 用法用量 | 内服煎汤，10 ~ 30 g。外用适量，鲜叶捣敷。

| 凭证标本号 | 441523190921038LY。

蝶形花科 Papilionacese 野扁豆属 *Dunbaria*

圆叶野扁豆 *Dunbaria rotundifolia* (Lour.) Merr.

| 药 材 名 | 罗网藤（药用部位：全株或根。别名：假绿豆）。

| 形态特征 | 多年生缠绕藤本。叶具羽状 3 小叶；小叶纸质，两面微被极短柔毛或近无毛，被黑褐色小腺点，尤以下面较密；基出脉 3，小脉略密，网状，干后灰绿色，叶缘波状，略背卷。花 1 ~ 2 腋生；花冠黄色，龙骨瓣镰状，具钝喙。荚果线状长椭圆形，扁平，略弯，长 3 ~ 5 cm，宽约 8 mm，被极短柔毛或近无毛，先端具针状喙；种子黑褐色。果期 9 ~ 10 月。

| 生境分布 | 常生于山坡灌丛中和旷野草地上。分布于广东翁源、新丰、高要、惠东、龙门、大埔、连平、阳山、连山、新兴及深圳（市区）、湛江（市区）、茂名（市区）、广州（市区）、云浮（市区）等。

| 资源情况 | 野生资源较少，栽培资源丰富。药材来源于野生和栽培。

| 采收加工 | 春、夏季采收，洗净，晒干。

| 功能主治 | 淡，凉。清热解毒，止血生肌。用于急、慢性肝炎，外伤出血，烫火伤。

| 用法用量 | 内服煎汤，15 ~ 30 g。外用适量，煎汤洗；或捣敷。

| 凭证标本号 | 441825191001021LY。

蝶形花科 Papilionacese 野扁豆属 *Dunbaria*

野扁豆 *Dunbaria villosa* (Thunb.) Makino

| 药 材 名 | 野赤小豆（药用部位：全草或种子。别名：毛野扁豆）。

| 形态特征 | 多年生缠绕草本。叶具羽状 3 小叶；小叶薄纸质，两面微被短柔毛或有时近无毛，有锈色腺点。总状花序或复总状花序腋生；花冠黄色；子房密被短柔毛和锈色腺点。荚果线状长圆形，长 3 ~ 5 cm，宽约 8 mm，扁平，稍弯，被短柔毛或有时近无毛，先端具喙；种子 6 ~ 7，近圆形，长约 4 mm，宽约 3 mm，黑色。花期 7 ~ 9 月。

| 生境分布 | 常生于旷野或山谷路旁的灌丛中。分布于广东徐闻、惠来及深圳（市区）、肇庆（市区）等。

| 资源情况 | 野生资源较少，栽培资源丰富。药材来源于野生和栽培。

| 采收加工 | 全草，春季采收，洗净，晒干。种子，秋季采收，晒干。

| 药材性状 | 本品全草缠绕成团。茎纤细，长，草绿色，具毛茸和锈色腺点。叶皱缩，易碎，完整叶为三出复叶，先端小叶较大，长 1.5 ~ 3 cm，宽 2 ~ 3.5 cm，叶片菱形，先端渐尖或突尖，基部圆形，全缘，两侧小叶斜菱形，绿色或枯绿色，两面具锈色腺点。荚果条形而扁，长约 4 cm，宽 0.7 cm，表面具毛茸，有种子 6 ~ 7，椭圆形，果柄长约 2.5 mm。气微，具豆腥气。

| 功能主治 | 甘，平。清热解毒，消肿止带。用于咽喉肿痛，乳痈，牙痛，肿毒，毒蛇咬伤，带下过多。

| 用法用量 | 内服煎汤，10 ~ 30 g。外用适量，捣敷；或煎汤洗。

| 凭证标本号 | 441523190920032LY。

蝶形花科 Papilionacese 鸡头薯属 *Eriosema*

鸡头薯 *Eriosema chinense* Vog.

|药材名|

猪仔笠（药用部位：块根。别名：地草果、毛瓣花、岗菊）。

|形态特征|

多年生直立草本。茎密被棕色长柔毛并杂以同色的短柔毛。块根纺锤形，肉质。叶仅具单小叶，披针形，叶面及叶缘散生棕色长柔毛，背面被灰白色短绒毛，沿主脉密被棕色长柔毛。总状花序腋生；花冠淡黄色；子房密被白色长硬毛。荚果菱状椭圆形，成熟时黑色，被褐色长硬毛；种子肾形，黑色，种脐长线形。花期 5 ~ 6 月，果期 7 ~ 10 月。

|生境分布|

生于向阳山坡草地和干旱山顶。分布于广东始兴、翁源、乳源、乐昌、南雄、南澳、南海、开平、徐闻、怀集、封开、博罗、惠东、大埔、兴宁、海丰、和平、阳山、英德、连州及广州（市区）、茂名（市区）、肇庆（市区）、深圳（市区）、惠州（市区）、河源（市区）、清远（市区）、云浮（市区）等。

|资源情况|

野生资源较少，栽培资源丰富。药材来源于

野生和栽培。

| **采收加工** | 夏、秋季采收，晒干或鲜用。

| **功能主治** | 甘、微涩，平。清热解毒，生津止渴，止咳化痰。用于肺热咳嗽，肺痈，发热烦渴，痢疾，睾丸鞘膜积液，食积，跌打肿痛。

| **用法用量** | 内服煎汤，9 ~ 15 g。外用适量，鲜品捣敷。

| **凭证标本号** | 440781190713022LY。

蝶形花科 Papilionacese 刺桐属 *Erythrina*

龙牙花 *Erythrina corallodendron* Linn.

| 药 材 名 | 龙牙花（药用部位：茎皮。别名：刺桐、珊瑚刺桐、象牙红）。

| 形态特征 | 灌木或小乔木。茎和枝条有散生粗刺。羽状复叶有 3 小叶；小叶先端渐尖，具尾状钝尖头，两面无毛，有时叶柄及下面中脉上有刺。总状花序腋生；花深红色，具短梗，狭而近闭合；子房具柄，被白色短茸毛。荚果长约 10 cm，无毛，先端有喙，具果柄，于种子间稍缢缩；种子多数，深红色，常有黑斑。花果期 6 ~ 11 月。

| 生境分布 | 生于山沟林中或草坡上。分布于广东高要、博罗及广州（市区）等。

| 资源情况 | 野生资源较少，栽培资源丰富。药材来源于野生和栽培。

| 采收加工 | 全年均可采收，晒干。

| 功能主治 | 苦、辛，温。疏肝行气，止痛。

| 用法用量 | 内服煎汤，12 ~ 18 g。

蝶形花科 Papilionacese 刺桐属 *Erythrina*

刺桐 *Erythrina variegata* Linn.

|药 材 名| 海桐皮（药用部位：树皮、叶。别名：鸡桐木、空桐树、山芙蓉）。

|形态特征| 落叶乔木。高达 20 m，通常 10 ~ 15 m。茎灰色，有刺。三出复叶互生，叶柄长 9 ~ 14 cm；小叶纸质，阔卵形，两面鲜绿色，小叶柄短，小托叶为腺体状。花密集组成总状花序；总梗木质；花鲜红色，花萼佛焰苞状，长 2 ~ 3 cm，口部倾斜，一边开裂。荚果肥厚，长达 30 cm，念珠状；种子暗红色，长约 15 mm。花期 3 月，果期 8 月。

|生境分布| 栽培种。广东各地均有栽培。

|资源情况| 栽培资源丰富。药材来源于栽培。

| 采收加工 | 树皮，初夏采收，晒干或鲜用。

| 药材性状 | 本品树皮呈板片状，两边略卷曲，厚 0.3 ~ 1 cm，外表面黄绿色、淡棕色或棕色，常有宽窄不等的纵凹纹，钉刺多已脱落，如存在，则为长圆锥形，高 0.5 ~ 0.8 cm，锐尖，基部直径 0.5 ~ 1 cm，内表面黄棕色，较平坦，有细密网纹；质硬而韧，断面条裂状、不整齐。气微香，味微苦。以皮薄、带钉刺者为佳。

| 功能主治 | 树皮，苦、辛，平。祛风除湿，舒筋通络，杀虫止痒。用于风寒湿痹，腰膝酸痛，脚气病，痛风，疥癣，湿疹，湿热泻痢等。叶，苦，平。消积驱蛔。

| 用法用量 | 内服煎汤，9 ~ 15 g。外用适量，鲜品捣敷。

| 凭证标本号 | 441225190320004LY。

蝶形花科 Papilionacese 山豆根属 *Euchresta*

山豆根 *Euchresta japonica* Hook. f. ex Regel

| 药 材 名 | 三叶丹（药用部位：全株。别名：鸦片七）。

| 形态特征 | 灌木。茎上常生不定根。叶仅具 3 小叶；小叶厚纸质，叶面暗绿色，无毛，干后有皱纹，背面苍绿色，被短柔毛。总状花序；花冠白色，旗瓣基部外面疏被短柔毛。果序长约 8 cm，荚果椭圆形，长 1.2 ~ 1.7 cm，宽 1.1 cm，先端钝圆，具细尖，黑色，光滑，果柄长 1 cm，果颈长 4 cm，无毛。

| 生境分布 | 生于海拔 500 ~ 1 150 m 的山谷或山坡密林中。分布于广东仁化、乐昌等。

| 资源情况 | 野生资源较少，栽培资源丰富。药材来源于野生和栽培。

| **采收加工** | 夏、秋季采收，晒干。

| **功能主治** | 苦，寒；有小毒。清热解毒，消肿止痛，通便。

| **用法用量** | 内服煎汤，3 ~ 9 g。内服不可过量。

蝶形花科 Papilionacese 千斤拔属 *Flemingia*

大叶千斤拔 *Flemingia macrophylla* (Willd.) Prain

| 药 材 名 | 大猪尾（药用部位：根。别名：千金红）。

| 形态特征 | 灌木。幼枝有明显纵棱，密被紧贴丝质柔毛。叶具指状 3 小叶；小叶纸质或薄革质，两面除沿脉上被紧贴的柔毛外，通常无毛，背面被黑褐色小腺点。总状花序常数个聚生于叶腋；花冠紫红色，稍长于花萼。荚果椭圆形，长 1 ~ 1.6 cm，宽 7 ~ 9 mm，褐色，略被短柔毛，先端具小尖喙；种子 1 ~ 2，球形，亮黑色。花期 6 ~ 9 月，果期 10 ~ 12 月。

| 生境分布 | 生于空旷地及灌丛中。分布于广东除西南部以外的各个地区。

| 资源情况 | 野生资源较少，栽培资源丰富。药材来源于野生和栽培。

| **采收加工** | 夏、秋季采收，晒干。

| **药材性状** | 本品较粗壮，有分枝，表面深红棕色，香气较浓；栓皮薄，刮去栓皮可见棕褐色皮部。质坚韧，不易折断，切断面皮部棕红色，易剥离，其余部分黄白色，有车辐状纹。气微，味微甘、涩。以根条粗壮而长、色黄白者为佳。

| **功能主治** | 甘、微涩，平。祛风湿，益脾肾，强筋骨。用于风湿骨痛，腰肌劳损，四肢痿软，偏瘫，阳痿，月经不调，带下，腹胀，食少，气虚足肿。

| **用法用量** | 内服煎汤，15 ~ 30 g。

| **凭证标本号** | 440783200312010LY。

蝶形花科 Papilionacese 千斤拔属 *Flemingia*

千斤拔 *Flemingia prostrata* Roxb. f. ex Roxb.

|药材名|

蔓性千斤拔（药用部位：根。别名：一条根、老鼠尾、钻地风）。

|形态特征|

直立或披散亚灌木。幼枝三棱柱状，密被灰褐色短柔毛。叶为三出复叶；小叶厚纸质，叶面被疏短柔毛，背面密被灰褐色柔毛；基出脉 3。总状花序腋生；花冠紫红色，约与花萼等长；子房被毛。荚果椭圆状，长 7 ~ 8 mm，宽约 5 mm，被短柔毛；种子 2，近圆球形，黑色。花果期夏、秋季。

|生境分布|

生于较干旱的山坡、路旁的灌丛或草丛中。分布于广东翁源、乳源、封开、博罗、蕉岭、连平、阳山、连南及广州（市区）、韶关（市区）、深圳（市区）、珠海（市区）、汕头（市区）、肇庆（市区）等。

|资源情况|

野生资源较少，栽培资源丰富。药材来源于野生和栽培。

| **采收加工** | 全年均可采收，除去根须，晒干。

| **药材性状** | 本品呈长圆柱形，常不分枝，长 25 ~ 70 cm，上粗下渐细，上部直径 1 ~ 2.5 cm。表面灰黄色至棕褐色，先端有细小芦头，有稍凸起的横长皮孔和细皱纹；栓皮薄，刮去栓皮可见棕褐色皮部。质坚韧，不易折断。切断面皮部棕红色，易剥离，其余部分黄白色，有车辐状纹。气微，味微甘、涩。以根条粗壮而长、色黄白者为佳。

| **功能主治** | 甘、微涩，平。祛风除湿，强筋壮骨，活血解毒。用于风湿痹痛，腰肌劳损，四肢痿软，跌打损伤，咽喉肿痛。

| **用法用量** | 内服煎汤，15 ~ 30 g。

| **凭证标本号** | 441825190807023LY。

蝶形花科 Papilionacese 千斤拔属 *Flemingia*

球穗千斤拔 *Flemingia strobilifera* (Linn.) et Ait. f.

| 药材名 | 咳嗽草（药用部位：全株或根。别名：半灌木千斤拔、大苞千斤拔）。

| 形态特征 | 直立或近蔓延状灌木。小枝具棱，密被灰色至灰褐色柔毛。单叶互生，近革质。小聚伞花序包藏于贝状苞片内，再排成总状或复总状花序；花序轴密被灰褐色柔毛。花小；花萼微被短柔毛，萼齿略长于萼管；花冠伸出花萼外。荚果椭圆形，膨胀，长 6 ~ 10 mm，宽 4 ~ 5 mm，略被短柔毛；种子 2，近球形，常黑褐色。花期春、夏季，果期秋、冬季。

| 生境分布 | 常生于海拔 200 ~ 1 580 m 的山坡草丛或灌丛中。分布于广东乳源、乐昌、怀集、阳山等。

| 资源情况 | 野生资源较少，栽培资源丰富。药材来源于野生和栽培。

| 采收加工 | 全年均可采收，晒干。

| 功能主治 | 苦、甘，凉。止咳祛痰，清热除湿，补虚劳，壮筋骨。用于咳嗽，黄疸，劳伤，风湿痹痛，疳积，百日咳，肺炎。

| 用法用量 | 内服煎汤，25 ~ 50 g。

| 凭证标本号 | 441823191018003LY。

蝶形花科 Papilionacese 干花豆属 *Fordia*

干花豆 *Fordia cauliflora* Hemsl.

| 药 材 名 |

茎花豆（药用部位：根、叶。别名：虾须豆、土甘草）。

| 形态特征 |

灌木。高达 2 m。当年生枝密被锈色绒毛，后秃净，老茎赤褐色。羽状复叶；小叶叶面无毛，背面淡白色，密被平伏细毛。总状花序；花冠粉红色至紫红色。荚果棍棒状，扁平，革质，先端截形，具尖喙，基部渐狭，被平伏柔毛，后渐秃净，有种子 1 ~ 2；种子圆形，扁平，宽约 1 cm，棕褐色，光滑，种阜膜质，包于珠柄。花期 5 ~ 9 月，果期 6 ~ 11 月。

| 生境分布 |

生于灌木林中。分布于广东台山、封开、阳春、阳山及广州（市区）、珠海（市区）、肇庆（市区）、阳江（市区）等。

| 资源情况 |

野生资源较少，栽培资源丰富。药材来源于野生和栽培。

| 采收加工 | 根，夏、秋季采收，切片，晒干或鲜用。

| 功能主治 | 辛、甘，平。活血通络，消肿止痛，化痰止咳。用于风湿痹痛，跌打损伤，咳嗽；外用于痈疮肿痛。

| 用法用量 | 内服煎汤，9 ~ 12 g。外用适量，鲜根调红糖捣敷。孕妇忌服。

| 凭证标本号 | 441723150727013LY。

蝶形花科 Papilionacese 乳豆属 *Galactia*

乳豆 *Galactia tenuiflora* (Klein ex Willd.) Wight et Arn.

| **药材名** | 细花乳豆（药用部位：种子。别名：乳豆、台湾乳豆、毛豆）。

| **形态特征** | 多年生草质藤本。茎被灰白色或灰黄色长柔毛。叶有小叶 3；小叶纸质，阔椭圆形或椭圆形，上面深绿色，疏被短柔毛，下面灰绿色，被灰白色柔毛，有时被绵毛。总状花序腋生；花冠紫红色至淡蓝色。荚果线形，初时被长茸毛，后渐无毛；种子肾形，稍扁，长 2 ~ 3.5 mm，宽 3 ~ 5 mm，棕褐色，光滑，种脐椭圆形。花果期 8 ~ 9 月。

| **生境分布** | 生于低海拔的村边丘陵灌丛或疏林中。分布于广东始兴、乳源、乐昌、台山、徐闻、阳山等。

| 资源情况 | 野生资源较少，栽培资源丰富。药材来源于野生和栽培。

| 采收加工 | 秋季采收，晒干。

| 功能主治 | 酸、苦，平。行气活血。

| 凭证标本号 | 441823190722033LY。

蝶形花科 Papilionacese 大豆属 *Glycine*

大豆 *Glycine max* (Linn.) Merr.

| 药材名 | 黄豆（药用部位：根、种子。别名：白豆）。

| 形态特征 | 一年生草本。茎通常直立或半蔓性。全体密被长硬毛。羽状 3 小叶；小叶卵形或椭圆形，全缘，两面通常被毛。总状花序短，腋生；花小，淡红紫色或白色，翼瓣梳篦状，具明显的爪和耳，龙骨瓣斜倒卵形，具短爪；子房有毛。荚果密被黄褐色硬毛，稍弯，下垂；种子间缢缩；种子 2 ~ 5，宽肾形、卵形或球形，颜色因品种不同而不同。

| 生境分布 | 生于山坡、田野。广东各地均有栽培。

| 资源情况 | 野生资源较少，栽培资源丰富。药材来源于野生和栽培。

| 采收加工 | 夏、秋季采收，种子发芽后晒干或鲜用。

| 药材性状 | 本品种子呈椭圆形或类球形，稍扁，长 6 ~ 12 mm，宽 5 ~ 9 mm。表面黄色，光滑或有皱纹，具光泽，一侧有淡黄白色长椭圆形种脐。质坚硬。种皮薄而脆，子叶 2，肥厚，黄绿色或淡黄色。气微，味淡，嚼之有豆腥味。

| 功能主治 | 甘，平。宽中导滞，健脾利水，解毒消肿，解药毒。用于水肿胀满，风毒脚气，黄疸浮肿，风痹筋挛，产后风痉、口噤；外用于痈肿疮毒。

| 用法用量 | 内服煎汤，9 ~ 12 g。外用适量，鲜根调红糖捣敷。孕妇忌服。

| 凭证标本号 | 441621180827018LY。

蝶形花科 Papilionacese 大豆属 *Glycine*

野大豆 *Glycine soja* Sieb. et Zucc.

| 药 材 名 | 马料豆（药用部位：根、藤茎、种子。别名：白花野大豆、乌豆、野黄豆）。

| 形态特征 | 一年生缠绕草本。茎、小枝纤细，全体疏被褐色长硬毛。叶具 3 小叶。总状花序通常短；花小；花梗密生黄色长硬毛；花冠淡红紫色或白色。荚果长圆形，稍弯，两侧稍扁，长 17 ~ 23 mm，宽 4 ~ 5 mm，密被长硬毛，种子间稍缢缩，干时易裂；种子 2 ~ 3，椭圆形，稍扁，长 2.5 ~ 4 mm，宽 1.8 ~ 2.5 mm，褐色至黑色。花期 7 ~ 8 月，果期 8 ~ 10 月。

| 生境分布 | 生于潮湿的田边、园边、沟旁、河岸、湖边、沼泽、草甸、沿海和岛屿向阳的矮灌丛或芦苇丛中，稀见于沿河岸疏林下。分布于广东

始兴、乳源及广州（市区）等。

| 资源情况 | 野生资源较少，栽培资源丰富。药材来源于野生和栽培。

| 采收加工 | 秋季果实成熟时采收，晒干。

| 功能主治 | 甘，凉。补益肝肾，祛风解毒。种子用于肾虚腰痛，风痹，筋骨疼痛，阴虚盗汗，内热消渴，目昏头晕，产后风痉，小儿疳积，痈肿。

| 用法用量 | 内服煎汤，9 ~ 15 g；或入丸、散剂。

| 凭证标本号 | 441825191001032LY。

蝶形花科 Papilionacese 长柄山蚂蟥属 *Hylodesmum*

疏花长柄山蚂蝗 *Hylodesmum laxum* (DC.) H. Ohashi & R. R. Mill.

| 药 材 名 | 长果柄山蚂蝗（药用部位：根。别名：疏花山绿豆）。

| 形态特征 | 直立草本。茎基部木质，下部被疏毛，上部毛较密。叶为羽状三出复叶，通常簇生于枝顶；小叶纸质，全缘，两面近无毛或下面薄被柔毛，侧脉不达叶缘。总状花序顶生或顶生和腋生；花冠粉红色。荚果通常有荚节 2 ~ 4，背缝线于节间凹入几达腹缝线而成一深缺口，荚节略呈宽的半倒卵形，先端凹入，被钩状毛。花果期 8 ~ 10 月。

| 生境分布 | 生于海拔 730 ~ 1 100 m 的山坡阔叶林中。分布于广东始兴、翁源、乳源、新丰、怀集、博罗、惠东、梅县、大埔、连平、连南及深圳（市区）、茂名（市区）、肇庆（市区）、广州（市区）等。

| 资源情况 | 野生资源较少，栽培资源丰富。药材来源于野生和栽培。

| 采收加工 | 全年均可采收，晒干。

| 功能主治 | 甘、淡，平。降血压，消炎。用于高血压，肺炎，肾炎。

| 用法用量 | 内服煎汤，15 ~ 20 g。

| 凭证标本号 | 440303191006003LY。

蝶形花科 Papilionacese 长柄山蚂蟥属 *Hylodesmum*

细长柄山蚂蝗 *Hylodesmum leptopus* (A. Gray ex Benth.) H. Ohashi & R. R. Mill.

| 药 材 名 | 细柄山绿豆（药用部位：全株或根。别名：细梗山蚂蝗）。

| 形态特征 | 亚灌木。茎直立，幼时被柔毛，老时渐变无毛。叶为羽状三出复叶；小叶纸质，较薄。花序顶生，总状花序或具少数分枝的圆锥花序，有时从茎基部抽出，花序轴略被钩状毛和疏长柔毛；花极稀疏；花冠粉红色。荚果扁平，稍弯曲，腹缝线直，背缝线于荚节间深凹入而接近腹缝线，荚节斜三角形，被小钩状毛。花果期 8 ~ 9 月。

| 生境分布 | 生于海拔 700 ~ 1 000 m 的山谷密林下或溪边密荫处。分布于广东和平、怀集、郁南等。

| 资源情况 | 野生资源较少，栽培资源丰富。药材来源于野生和栽培。

| 采收加工 | 全年均可采收，晒干。

| 功能主治 | 清热利湿，健脾消积。用于肝炎；外用于毒蛇咬伤。

| 凭证标本号 | 441623180914017LY。

蝶形花科 Papilionacese 长柄山蚂蟥属 *Hylodesmum*

长柄山蚂蝗 *Hylodesmum podocarpum* (DC.) H. Ohashi & R. R. Mill.

| 药 材 名 | 长柄山蚂蝗（药用部位：根、叶）。

| 形态特征 | 直立草本。茎具条纹，疏被伸展短柔毛。叶为羽状三出复叶；小叶纸质，全缘，两面疏被短柔毛或几无毛。总状花序或圆锥花序顶生或腋生；花冠紫红色。荚果长约 1.6 cm，背缝线节间深凹入达腹缝线，荚节略呈宽半倒卵形，长 5 ~ 10 mm，宽 3 ~ 4 mm，先端平截，基部楔形，被钩状毛和小直毛，稍有网纹，果柄长约 6 mm，果颈长 3 ~ 5 mm。花果期 8 ~ 9 月。

| 生境分布 | 生于山坡路旁、草坡或次生阔叶林林下。分布于广东乳源等。

| 资源情况 | 野生资源较少，栽培资源丰富。药材来源于野生和栽培。

| **采收加工** | 夏、秋季采收，鲜用或切段晒干。

| **药材性状** | 本品小叶多脱落、皱缩，完整的叶为三出复叶，先端小叶大，圆状菱形，先端急尖或钝，基部阔楔形，全缘，长 4 ~ 7 cm，宽 3.5 ~ 6 cm，表面枯绿色，几无毛；两侧小叶较小，斜卵形。质脆易碎。气微。

| **功能主治** | 苦，温。散寒解表，止咳，止血。用于感冒，咳嗽，脾胃虚弱。

| **用法用量** | 内服煎汤，10 ~ 20 g。

蝶形花科 Papilionacese 木蓝属 *Indigofera*

深紫木蓝 *Indigofera atropurpurea* Buch.-Ham. ex Hornem.

| 药 材 名 | 流产草（药用部位：根。别名：线苞木蓝）。

| 形态特征 | 灌木。嫩枝被白色或间生棕色平贴丁字毛。羽状复叶；小叶 6 ~ 8 对，膜质，两面疏生短丁字毛，或上面近无毛，中脉在上面凹入，在下面隆起，在两面均明显。总状花序；总花梗长与花序轴均被棕色疏丁字毛。荚果圆柱形，长 2.5 ~ 5 cm，两缝线明显加厚，果瓣开裂后旋卷；种子赤褐色，近方形。花期 5 ~ 9 月，果期 8 ~ 12 月。

| 生境分布 | 生于海拔 300 ~ 1 600 m 的山坡路旁的灌丛中、山谷疏林中、路旁草坡和溪沟边。分布于广东乐昌、德庆、乳源、梅县、翁源、大埔、始兴、阳山及广州（市区）、韶关（市区）等。

| **资源情况** | 野生资源较少，栽培资源丰富。药材来源于野生和栽培。

| **采收加工** | 全年均可采收，晒干。

| **功能主治** | 苦、微涩，凉。催产，解毒，截疟。用于风寒暑湿，疟疾。

| **用法用量** | 内服煎汤，3 ~ 9 g。

| **凭证标本号** | 441827180714024LY。

蝶形花科 Papilionacese 木蓝属 *Indigofera*

河北木蓝 *Indigofera bungeana* Walp.

| 药 材 名 | 马棘（药用部位：根。别名：本氏木蓝、陕甘木蓝）。

| 形态特征 | 落叶亚灌木。高 55 ~ 90 cm。小枝具白色丁字毛。叶互生，为奇数羽状复叶；小叶对生，全缘，两面被丁字毛。总状花序腋生；花密生；花冠蝶形，淡红色至深红色，偶有白色，旗瓣外面具短柔毛；子房具丁字毛。荚果圆柱形，长 1 ~ 3.5 cm，宽约 3 mm，幼时密被丁字毛；种子肾形。花期 5 ~ 7 月，果期 9 ~ 10 月。

| 生境分布 | 生于海拔 100 ~ 1 300 m 的山坡林缘及灌丛中。分布于广东广州（市区）等。广东部分地区有栽培。

| 资源情况 | 野生资源较少，栽培资源丰富。药材来源于野生和栽培。

| 采收加工 | 秋季采挖，洗净，切段，晒干或鲜用。

| 药材性状 | 本品呈圆柱形，下部常有 2 ～ 3 分枝，长 15 ～ 30 cm，直径 1 ～ 2.5 cm。表面灰褐色或棕黄色，具稀疏的纵皱纹及横列皮孔，并有细点状根痕。质坚硬，不易折断，断面黄白色，纤维性。气微，味苦。以身干、根条均匀、皮细、无细根、无杂质者为佳。

| 功能主治 | 苦、涩，平。清热解毒，消肿散结。用于枪伤，刀伤，伤口久不收口，肿毒，口疮，吐血等。

| 用法用量 | 内服煎汤，10 ～ 15 g。外用适量，鲜品捣敷。

蝶形花科 Papilionacese 木蓝属 *Indigofera*

庭藤 *Indigofera decora* Lindl.

| 药 材 名 | 铜锣伞（药用部位：全株或根。别名：胡豆）。

| 形态特征 | 灌木。茎圆柱形或有棱。羽状复叶；小叶上面无毛，下面被平贴白色丁字毛。总状花序直立；花冠淡紫色或粉红色，稀白色。荚果棕褐色，圆柱形，长 2.5 ~ 6.5（~ 8）cm，近无毛，有种子 7 ~ 8；种子椭圆形，长 4 ~ 4.5 mm。花期 4 ~ 6 月，果期 6 ~ 10 月。

| 生境分布 | 生于海拔 200 ~ 1 800 m 的溪边、沟谷旁及杂木林和灌丛中。分布于广东始兴、仁化、翁源、乳源、新丰、乐昌、南雄、广宁、怀集、龙川、连平、和平、阳山、连山、连南、英德、连州、饶平及深圳（市区）、广州（市区）、清远（市区）等。

| 资源情况 | 野生资源较少，栽培资源丰富。药材来源于野生和栽培。

| 采收加工 | 全年均可采收，晒干或鲜用。

| 功能主治 | 辛、微酸，平。续筋接骨，散瘀止痛。用于跌打损伤，风湿关节痛等。

| 用法用量 | 内服煎汤，15 ~ 30 g。外用适量，鲜品捣敷。

| 凭证标本号 | 441882180506008LY。

蝶形花科 Papilionacese 木蓝属 *Indigofera*

宜昌木蓝 *Indigofera decora* Lindl. var. *ichangensis* (Craib.) Y. Y. Fang et C. Z. Zheng

| 药 材 名 | 木蓝山豆根（药用部位：根）。

| 形态特征 | 灌木。高 0.4 ~ 2 m。茎圆柱形或有棱，无毛或近无毛。羽状复叶长 8 ~ 25 cm；叶柄长 1 ~ 1.5 cm，稀达 3 cm，叶轴扁平或圆柱形，上面有槽或无槽，无毛或疏被丁字毛。本种与庭藤 *Indigofera decora* Lindl. 的区别在于本种小叶两面被毛。

| 生境分布 | 生于灌丛或杂木林中。分布于广东乳源、蕉岭、龙川、连平、阳山等。

| 资源情况 | 野生资源较少，栽培资源丰富。药材来源于野生和栽培。

| 采收加工 | 全年均可采收，晒干。

| 功能主治 | 苦，寒。清热利咽，解毒，通便。用于暑温，热结便秘，咽喉肿痛，肺热咳嗽，黄疸，痔疾，秃疮，蛇虫咬伤。

| 用法用量 | 内服煎汤，15 ~ 30 g。

| 凭证标本号 | 441882180506008LY。

蝶形花科 Papilionacese 木蓝属 *Indigofera*

假大青蓝 *Indigofera galegoides* DC.

| 药 材 名 | 假大青蓝（药用部位：叶）。

| 形态特征 | 灌木或亚灌木。嫩枝被白色或灰褐色平贴丁字毛，后变无毛。羽状复叶；小叶 5 ~ 12 对，膜质，两面有棕褐色并间生白色平贴丁字毛。总状花序；花密集；花冠淡红色。果实长圆柱形，直立，长 9 cm，先端具长尖喙，嫩荚薄被棕褐色粗短丁字毛，后变无毛，有种子 15 ~ 18。花期 4 ~ 8 月，果期 9 ~ 10 月。

| 生境分布 | 生于旷野或山谷中。分布于广东德庆等。

| 资源情况 | 野生资源较少，栽培资源丰富。药材来源于野生和栽培。

| 采收加工 | 全年均可采收，晒干或鲜用。

| 功能主治 | 苦，寒。解毒消肿。用于疮毒。

| 用法用量 | 外用适量，鲜叶捣敷。

蝶形花科 Papilionacese 木蓝属 *Indigofera*

穗序木蓝 *Indigofera hendecaphylla* Jacq.

| 药 材 名 | 铁箭岩陀（药用部位：全草。别名：十一叶木蓝、假蓝靛）。

| 形态特征 | 直立或平卧草本。茎单一或基部多分枝，被灰色紧贴丁字毛。羽状复叶；小叶互生，上面无毛，下面疏生粗丁字毛。总状花序约与复叶等长；总花梗长约 1 cm；花萼筒长 0.5 ~ 1 mm，萼齿线状披针形，长约 2.5 mm；花冠青紫色，旗瓣阔卵形，长 5 ~ 6 mm，翼瓣长约 4 mm，龙骨瓣长约 5 mm。荚果线形，长 10 ~ 25 mm，有 4 棱，无毛，有种子 8 ~ 10。花果期 4 ~ 11 月。

| 生境分布 | 生于空旷地、竹园、路边潮湿处等的向阳处。分布于广东徐闻及广州（市区）等。

| 资源情况 | 野生资源较少，栽培资源丰富。药材来源于野生和栽培。

| 采收加工 | 全年均可采收，晒干。

| 功能主治 | 淡、凉。用于避孕，绝育。

| 用法用量 | 内服煎汤，15 ~ 30 g；或研末。

| 凭证标本号 | 440825170406003LY。

蝶形花科 Papilionacese 木蓝属 *Indigofera*

硬毛木蓝 *Indigofera hirsuta* Linn.

|药 材 名| 刚毛木蓝（药用部位：枝、叶）。

|形态特征| 直立或蔓生亚灌木。多分枝。枝、叶柄和花序均被开展长硬毛。羽状复叶；小叶两面有贴伏毛，下面毛较密。总状花序，密被锈色和白色混生的硬毛；花小，密集；花冠红色，长 4 ~ 5 mm，外面被茸毛。荚果线状圆柱形，长 1.5 ~ 2 cm，宽 2.5 ~ 8 mm，被开展长硬毛，有种子 6 ~ 8。花期 7 ~ 9 月，果期 10 ~ 12 月。

|生境分布| 生于低海拔的山坡旷野、路旁、河边草地及海滨沙地上。分布于广东南澳、台山、徐闻、吴川、博罗、陆丰、惠来、郁南及广州（市区）、深圳（市区）、珠海（市区）、汕头（市区）、湛江（市区）、阳江（市区）、中山等。

| **资源情况** | 野生资源较少，栽培资源丰富。药材来源于野生和栽培。

| **采收加工** | 全年均可采收，晒干。

| **功能主治** | 苦、微涩，凉。解毒消肿，杀虫止痒。用于疮疖，毒蛇咬伤，皮肤瘙痒，疥癣。

| **用法用量** | 内服煎汤，6 ~ 12 g。外用适量，研末敷；或研末调油涂。

| **凭证标本号** | 445224190331102LY。

蝶形花科 Papilionacese 木蓝属 *Indigofera*

远志木蓝 *Indigofera squalida* Prain.

| 药 材 名 | 块根木蓝（药用部位：全草。别名：地萝卜、鸡心薯）。

| 形态特征 | 多年生直立草本或亚灌木状。具纺锤状块根，散生平贴丁字毛。叶为单叶，长圆形、披针形或倒披针形，上面被平贴短丁字毛，

下面苍白色，毛较长，有不明显黄褐色腺点。总状花序长 1 ~ 2 cm；花密集；总花梗几无；花萼杯状，外被绢质丁字毛；子房有毛。荚果圆柱形，长 10 ~ 13 mm，密被毛，有种子 4 ~ 5。花期 5 ~ 6 月，果期 9 月。

| 生境分布 | 生于海拔 600 m 以下的斜坡旷野、山脚、路旁向阳草地上。分布于广东乐昌、阳山等。

| 资源情况 | 野生资源较少，栽培资源丰富。药材来源于野生和栽培。

| 采收加工 | 夏、秋季采收。

| 功能主治 | 辛、微甘，平。活血舒筋，消肿止痛。用于跌打损伤，刀伤金创。

| 用法用量 | 内服浸酒，50 g。

蝶形花科 Papilionacese 木蓝属 *Indigofera*

野青树 *Indigofera suffruticosa* Mill.

| 药材名 | 木蓝（药用部位：全株或根。别名：假蓝靛）。

| 形态特征 | 亚灌木。分枝少。茎被平贴丁字毛。羽状复叶；小叶上面密被丁字毛或脱落近无毛，下面被平贴丁字毛。总状花序呈穗状；总花梗极短或缺；花冠红色；子房在腹缝线上密被毛。荚果镰状弯曲，长 1 ~ 1.5 cm，下垂，被毛，有种子 6 ~ 8，种子短圆柱状，两端平截，干时褐色。花期 3 ~ 5 月，果期 6 ~ 10 月。

| 生境分布 | 生于低海拔的山地路旁、山谷疏林、空旷地、田野沟边及海滩沙地。分布于广东翁源、台山、徐闻、廉江、怀集、封开、德庆、高要、博罗、惠东、龙门、蕉岭、阳春、新兴、罗定及广州（市区）、深圳（市区）、阳江（市区）、云浮（市区）等。

| 资源情况 | 野生资源较少，栽培资源丰富。药材来源于野生和栽培。

| 采收加工 | 7 ~ 8 月采收。

| 功能主治 | 苦，凉。清热解毒，凉血，透疹。用于衄血，皮肤瘙痒，斑疹。

| 用法用量 | 内服煎汤，9 ~ 15 g。外用适量，全株煎汤洗。

| 凭证标本号 | 445121190709204LY。

蝶形花科 Papilionacese 木蓝属 *Indigofera*

木蓝 *Indigofera tinctoria* Linn.

| 药 材 名 | 蓝靛（药用部位：茎、叶。别名：靛）。

| 形态特征 | 直立亚灌木。幼枝有棱，扭曲，被白色丁字毛。羽状复叶；小叶两面被丁字毛或叶面近无毛，中脉在上面凹入，侧脉不明显。总状花序；花疏生；总花梗近无；花冠伸出花萼外，红色；花药心形；子房无毛。荚果线形，种子间有缢缩，外形似串珠状，有毛或无毛，内果皮具紫色斑点，果柄下弯；种子近方形。花期几乎全年；果期 10 月。

| 生境分布 | 栽培种。分布于广东乳源、潮安等。

| 资源情况 | 栽培资源丰富。药材来源于栽培。

林秦文提供

| 采收加工 | 夏、秋季采收，鲜用或晒干。

| 功能主治 | 苦，平。清热解毒，祛瘀止血。用于乙型脑炎，痄腮，目赤红肿，疮肿，吐血。

| 用法用量 | 内服煎汤，15 ~ 30 g。外用适量，鲜叶捣烂绞汁涂。

蝶形花科 Papilionacese 木蓝属 *Indigofera*

三叶木蓝 *Indigofera trifoliata* Linn.

| 药 材 名 | 地蓝根（药用部位：全草或根）。

| 形态特征 | 多年生草本。茎平卧或近直立，基部木质化，具细长分枝，初期被毛，后变无毛。三出羽状或掌状复叶；小叶膜质，叶面灰绿色，背面淡绿色，有暗褐色或红色腺点，两面被柔毛。总状花序近头状；花小，通常 6 ~ 12，密集；花冠红色。荚果背腹两缝线有明显的棱脊，早期被毛及红色腺点，后渐脱落。花期 7 ~ 9 月，果期 9 ~ 10 月。

| 生境分布 | 生于山坡草地。分布于广东乳源、乐昌、阳山、英德、连州、饶平、罗定及广州（市区）等。

| 资源情况 | 野生资源较少，栽培资源丰富。药材来源于野生和栽培。

| **采收加工** | 全草，夏、秋季采收，晒干。

| **功能主治** | 苦，寒。清热解毒。用于乳痈，咽喉痛。

| **用法用量** | 内服煎汤，9 ~ 12 g。外用适量，全草煎汤洗。

蝶形花科 Papilionacese 鸡眼草属 *Kummerowia*

鸡眼草 *Kummerowia striata* (Thunb.) Schindl.

| 药 材 名 | 人字草（药用部位：全草。别名：三叶人字草、老鸦须、铺地锦）。

| 形态特征 | 一年生平卧草本。长 5 ~ 30 cm，茎、枝被倒生纤毛。叶为三出羽状复叶；膜质托叶大，卵状长圆形；小叶纸质，倒卵形至长圆形，先端圆形，基部近圆形，全缘。花 1 ~ 3 腋生，稀 5；苞片 2，小苞片 4；花萼钟状，带紫色，5 裂；花冠粉红色或紫色。荚果卵状长圆柱形，两侧略压扁，稍露出花萼外，表面有网纹，外被细毛。花果期 7 ~ 9 月。

| 生境分布 | 生于山坡、路旁、田边、林边和林下。分布于广东始兴、仁化、翁源、乐昌、博罗、平远、龙川、阳春、阳山、连山、英德、新兴、郁南、罗定及深圳（市区）、肇庆（市区）、广州（市区）、东莞等。

| 资源情况 | 野生资源较少，栽培资源丰富。药材来源于野生和栽培。

| 采收加工 | 夏、秋季采收，晒干。

| 药材性状 | 本品茎枝圆柱形，多分枝，长 5 ~ 30 cm，被白色向下的细毛。三出复叶互生，叶多皱缩；完整小叶长椭圆形或倒卵状长椭圆形，叶端钝圆，有小突刺，叶基楔形；沿中脉及叶缘疏生白色长毛；托叶 2。花腋生；花萼钟状，深紫褐色；蝶形花冠浅玫瑰色，较花萼长 2 ~ 3 倍。荚果卵状矩圆形，先端稍急尖，有小喙，长达 4 mm；种子 1，黑色，具不规则褐色斑点。气微，味淡。

| 功能主治 | 苦，寒。清热解毒，健脾利湿，活血止血。用于胃肠炎，痢疾，肝炎，夜盲症，尿路感染，跌打损伤，疔疮疖肿。

| 用法用量 | 内服煎汤，9 ~ 30 g。

| 凭证标本号 | 441825190712023LY。

蝶形花科 Papilionacese 扁豆属 *Lablab*

扁豆 *Lablab purpureus* (Linn.) Sweet

| 药 材 名 | 白扁豆（药用部位：种子。别名：火镰扁豆、峨眉豆、茶豆）。

| 形态特征 | 多年生缠绕藤本。全株几无毛。羽状复叶具 3 小叶；小叶宽三角状卵形，侧生小叶两边不等大，偏斜，先端急尖或渐尖，基部近平截。总状花序直立；花 2 至多朵簇生；花冠白色或紫色，旗瓣圆形，基部具 2 小附属体，附属体下有 2 耳，翼瓣宽倒卵形，具平截的耳，龙骨瓣呈直角弯曲，基部渐狭成瓣柄；子房线形。荚果镰状长圆柱形；种子 3 ~ 5。花期 4 ~ 12 月。

| 生境分布 | 栽培种。广东各地均有栽培。

| 资源情况 | 栽培资源丰富。药材来源于栽培。

| 采收加工 | 秋、冬季采收，晒干。

| 药材性状 | 本品呈扁椭圆形或扁卵圆形，长 8 ～ 12 mm，宽 6 ～ 9 mm，厚 4 ～ 7 mm。表面黄白色，平滑而有光泽，一侧边缘有半月形白色隆起的种阜，约占周径的 1/3 ～ 1/2，剥去后可见凹陷的种脐，紧接种阜的一端有 1 珠孔，另一端有短的种脊。质坚硬，种皮薄而脆，内有子叶 2，肥厚，黄白色，角质。嚼之有豆腥气。以饱满、色白者佳。

| 功能主治 | 甘，微温。健脾化湿，和中消暑。用于脾虚生湿，食少便溏，带下过多，暑湿吐泻，烦渴胸闷。

| 用法用量 | 内服煎汤，6 ～ 12 g。

| 凭证标本号 | 440224181116001LY。

| 附　　注 | 本种喜温暖，耐高温，喜光，耐干旱，对土壤适应性强。

蝶形花科 Papilionacese 胡枝子属 *Lespedeza*

胡枝子 *Lespedeza bicolor* Turcz.

| 药 材 名 | 随军茶（药用部位：枝、叶。别名：萩）。

| 形态特征 | 灌木。高 1 ～ 3 m。小枝疏被短毛。叶具 3 小叶；小叶草质，卵形、倒卵形或卵状长圆形，先端圆钝或微凹，具短刺尖，基部近圆形或宽楔形，上面无毛，下面被疏柔毛。总状花序比叶长，常成大型、较疏散的圆锥花序；花冠红紫色，旗瓣倒卵形，翼瓣近长圆形，具耳和瓣柄，龙骨瓣与旗瓣近等长，基部具长瓣柄。荚果斜倒卵状圆球形，稍扁。花期 7 ～ 9 月，果期 9 ～ 10 月。

| 生境分布 | 生于海拔 150 ～ 1 000 m 的山坡、林缘、路旁、灌丛及杂木林间。分布于广东始兴、仁化、翁源、乳源、新丰、乐昌、南雄、台山、怀集、封开、高要、龙门、大埔、五华、连平、英德及云浮（市区）、

惠州（市区）、广州（市区）等。

| 资源情况 | 野生资源较少，栽培资源丰富。药材来源于野生和栽培。

| 采收加工 | 夏、秋季采收，鲜用或晒干。

| 功能主治 | 甘，平。清热润肺，利尿通淋，止血。用于肺热咳嗽，感冒发热，百日咳，淋证，吐血，衄血，尿血，便血。

| 用法用量 | 内服煎汤，9 ~ 15 g，鲜品 30 ~ 60 g；或代茶饮。

| 凭证标本号 | 441823190928002LY。

蝶形花科 Papilionacese 胡枝子属 *Lespedeza*

中华胡枝子 *Lespedeza chinensis* G. Don

| 药材名 | 细叶马料梢（药用部位：全株或根。别名：太阳草、华胡枝子）。

| 形态特征 | 小灌木。高达 1 m。全株被白色伏毛，茎下部毛渐脱落。托叶钻状；叶具 3 小叶，倒卵状长圆形至长圆形，先端平截、微凹或具钝头，具小刺尖。总状花序腋生，不超出叶，有少花；苞片及小苞片披针形，小苞片 2，被伏毛；花萼长为花冠之半，5 深裂；花冠白色或黄色，旗瓣椭圆形，基部具瓣柄及 2 耳状物，翼瓣狭长圆形，具长瓣柄，龙骨瓣；闭锁花簇生于茎下部叶腋。荚果卵圆形。花期 8 ~ 9 月，果期 10 ~ 11 月。

| 生境分布 | 生于灌丛中、草丛等。分布于广东翁源、台山、连平及珠海（市区）等。

| 资源情况 | 野生资源较少，栽培资源丰富。药材来源于野生和栽培。

| 采收加工 | 夏、秋季采收，晒干。

| 功能主治 | 微苦，凉。清热解毒，宣肺平喘，截疟。用于小儿高热，中暑，哮喘，痢疾，乳痈，痈疽肿毒，疟疾，热淋，脚气病，风湿痹痛。

| 用法用量 | 内服煎汤，15 ～ 18 g。

| 凭证标本号 | 440224181115005LY。

蝶形花科 Papilionacese 胡枝子属 *Lespedeza*

截叶铁扫帚 *Lespedeza cuneata* (Dum.-Cours.) G. Don

| 药 材 名 |

铁扫帚（药用部位：全株。别名：苍蝇翼、三叶公母草、夜关门）。

| 形态特征 |

小灌木。高 30 ～ 100 cm。小叶 3，顶生小叶倒披针形，先端截形，微凹，有小尖头，基部楔形，侧生小叶较小；托叶锥形。总状花序腋生，有 2 ～ 4 花，比叶短；总花梗不明显；无瓣花簇生于叶腋；小苞片狭卵形或卵形；花萼浅杯状，萼齿 5；花冠白色至淡红色，旗瓣稍短于龙骨瓣。荚果卵圆形，长约 3 mm。花期 6 ～ 9 月，果期 10 月。

| 生境分布 |

生于海拔 100 m 以下的山坡路旁。分布于广东始兴、仁化、翁源、乳源、新丰、乐昌、南雄、南澳、怀集、封开、高要、博罗、惠东、龙门、大埔、兴宁、连平、和平、阳山、连山、连南、英德、连州、新兴、郁南及汕头（市区）、茂名（市区）、广州（市区）、云浮（市区）等。

| 资源情况 |

野生资源较少，栽培资源丰富。药材来源于

野生和栽培。

| 采收加工 | 夏、秋季采收，鲜用或晒干。

| 功能主治 | 甘、微苦，平。清热利湿，消食除积，祛痰止咳。用于小儿疳积，消化不良，胃肠炎，细菌性痢疾，胃痛，黄疸性肝炎，肾炎性水肿，带下，口腔炎，咳嗽，支气管炎；外用于带状疱疹，毒蛇咬伤。

| 用法用量 | 内服煎汤，15 ~ 30 g。外用适量，鲜品捣敷。

| 凭证标本号 | 441825191002043LY。

蝶形花科 Papilionacese 胡枝子属 *Lespedeza*

大叶胡枝子 *Lespedeza davidii* Franch.

| 药 材 名 | 大叶乌梢（药用部位：全株。别名：大叶马料梢、活血丹）。

| 形态特征 | 直立灌木。高 1 ~ 3 m。小叶宽卵圆形或宽倒卵形，先端圆或微凹，基部圆形或宽楔形，全缘，两面密被黄白色绢毛。总状花序腋生或于枝顶形成圆锥花序；花红紫色，旗瓣倒卵状长圆形，先端圆或微凹，基部具耳和短柄，翼瓣狭长圆形，比旗瓣和龙骨瓣短，基部具弯钩形耳和细长瓣柄，龙骨瓣略呈弯刀形，与旗瓣近等长，基部有明显的耳和柄；子房密被毛。荚果卵圆形。花期 7 ~ 9 月，果期 9 ~ 10 月。

| 生境分布 | 生于海拔 800 m 的山坡灌丛中。分布于广东始兴、乳源、乐昌、南雄、阳山、连山、连南、连州、饶平及广州（市区）等。

| **资源情况** | 野生资源较少，栽培资源丰富。药材来源于野生和栽培。

| **采收加工** | 夏、秋季采收，晒干。

| **功能主治** | 甘，平。清热解表，止咳止血，通经活络。用于痧痧，咳嗽，外伤出血。

| **用法用量** | 内服煎汤，15 ~ 30 g。

| **凭证标本号** | 441882180814039LY。

蝶形花科 Papilionacese 胡枝子属 *Lespedeza*

多花胡枝子 *Lespedeza floribunda* Bunge

| 药 材 名 | 铁鞭草（药用部位：全株或根。别名：米汤草、四川胡枝子）。

| 形态特征 | 小灌木。叶具 3 小叶；顶生小叶倒卵形、宽倒卵形或长圆形，先端钝圆或近平截，微凹，具小刺尖，基部楔形，上面疏被贴伏毛，下面密被白色贴伏毛，侧生小叶较小。总状花序长于叶；花多数；花冠紫色、紫红色或蓝紫色，旗瓣椭圆形，先端圆，基部具瓣柄，翼瓣稍短，龙骨瓣长于旗瓣；闭锁花簇生于叶腋。荚果宽卵圆形。花期 6 ~ 9 月，果期 9 ~ 10 月。

| 生境分布 | 生于海拔 1 300 m 以下的石质山坡。分布于广东始兴、乳源、乐昌、台山、封开、兴宁、饶平及珠海（市区）、肇庆（市区）等。

| 资源情况 | 野生资源较少，栽培资源丰富。药材来源于野生和栽培。

| 采收加工 | 夏、秋季采收，晒干。

| 功能主治 | 涩，凉。消积，截疟。用于小儿疳积，疟疾。

| 用法用量 | 内服煎汤，9 ~ 15 g。

| 凭证标本号 | 441324181105033LY。

蝶形花科 Papilionacese 胡枝子属 *Lespedeza*

美丽胡枝子 *Lespedeza formosa* (Vog.) Koehne

| 药 材 名 | 马扫帚（药用部位：全株或根。别名：柔毛胡枝子、路生胡枝子、南胡枝子）。

| 形态特征 | 直立灌木。高 1 ~ 2 m。小叶椭圆形、长圆状椭圆形或卵形，稀倒卵形。总状花序单一，腋生，比叶长，或组成顶生的圆锥花序；花冠红紫色，旗瓣近圆形或稍长，先端圆，基部具明显的耳和瓣柄，翼瓣倒卵状长圆形，短于旗瓣和龙骨瓣，基部有耳和细长瓣柄，龙骨瓣比旗瓣稍长，在花盛开时明显长于旗瓣，基部有耳和细长瓣柄。荚果倒卵圆形或倒卵状长圆形。花期 7 ~ 9 月，果期 9 ~ 10 月。

| 生境分布 | 生于山坡林下或杂草丛中。分布于广东大埔、和平、龙门、惠东、梅县、博罗、英德、新丰、怀集、翁源、乐昌、乳源、阳山、连山、

封开及河源（市区）、广州（市区）、肇庆（市区）等。

| 资源情况 | 野生资源较少，栽培资源丰富。药材来源于野生和栽培。

| 采收加工 | 夏、秋季采收，晒干。

| 功能主治 | 苦，微涩，平。清热凉血，活血散瘀，消肿止痛。用于肺热咯血，肺脓肿，疮痈疖肿，便血，风湿关节痛，跌打肿痛；外用于扭伤，关节脱位，骨折。

| 用法用量 | 内服煎汤，3 ~ 5 g。

| 凭证标本号 | 441825191002040LY。

蝶形花科 Papilionacese 胡枝子属 *Lespedeza*

铁马鞭 *Lespedeza pilosa* (Thunb.) Sieb. et Zucc.

| 药 材 名 | 野花生（药用部位：全草。别名：狗尾巴）。

| 形态特征 | 多年生草本。全株密被长柔毛。叶具 3 小叶；小叶宽倒卵形或倒卵圆形，先端圆，近平截或微凹，具小刺尖，基部圆或近平截，两面密被长柔毛。总状花序比叶短；花序梗极短；花冠黄白色或白色，旗瓣椭圆形，具瓣柄，翼瓣较旗瓣、龙骨瓣短；闭锁花常 1 ~ 3 集生于茎上部叶腋，无梗或几无梗，结实。荚果宽卵圆形。花期 7 ~ 9 月，果期 9 ~ 10 月。

| 生境分布 | 生于海拔 1 000 m 以下的荒坡及草地。分布于广东始兴、连州等。

| 资源情况 | 野生资源较少，栽培资源丰富。药材来源于野生和栽培。

| 采收加工 | 夏、秋季采收，鲜用或晒干。

| 功能主治 | 苦、辛，平。清热散结，活血止痛，行水消肿。用于气虚发热，失眠，痧证腹痛，风湿痹痛，水肿，瘰疬，痈疽肿毒。

| 用法用量 | 内服煎汤，15 ~ 30 g。外用适量，鲜品捣敷。

蝶形花科 Papilionacese 胡枝子属 *Lespedeza*

绒毛胡枝子 *Lespedeza tomentosa* (Thunb.) Sieb. ex Maxim.

| 药 材 名 | 山豆花（药用部位：根。别名：毛胡枝子、白胡枝子、白土子）。

| 形态特征 | 灌木。高达 1 m。全株密被黄褐色绒毛。羽状复叶具 3 小叶；小叶质厚，椭圆形或卵状长圆形，先端钝或微心形，边缘稍反卷，上面被短伏毛，下面密被黄褐色绒毛或柔毛，脉上毛尤多。总状花序顶生或于茎上部腋生；花冠黄色或黄白色，旗瓣椭圆形，龙骨瓣与旗瓣近等长，翼瓣较短，长圆形；闭锁花生于茎上部叶腋，簇生成球状。荚果倒卵状圆球形。花期 7 ~ 8 月，果期 9 ~ 10 月。

| 生境分布 | 生于海拔 1 000 m 以下的山坡草地及灌丛间。分布于广东乳源、连州等。

| 资源情况 | 野生资源较少，栽培资源一般。药材来源于野生和栽培。

| 采收加工 | 夏、秋季采收，晒干。

| 功能主治 | 甘，平。健脾补虚。用于虚劳，血虚头晕，水肿，腹水，痢疾，经闭，痛经，痔疮出血。

| 用法用量 | 内服煎汤，15 ～ 30 g。

蝶形花科 Papilionacese 胡枝子属 *Lespedeza*

细梗胡枝子 *Lespedeza virgata* (Thunb.) DC.

| 药 材 名 | 掐不齐（药用部位：全株或根。别名：莳绘萩）。

| 形态特征 | 小灌木。高 25 ～ 50 cm。叶具 3 小叶；顶生小叶椭圆形、长圆形或卵状长圆形，先端圆钝，有小刺尖，基部圆，上面无毛，下面密被贴伏毛，侧生小叶较小。总状花序通常具 3 花；花序梗纤细，呈毛发状；花梗短；花冠白色或黄白色，旗瓣基部有紫斑，翼瓣较短，龙骨瓣长于旗瓣或与旗瓣近等长；闭锁花簇生于叶腋，无梗，结实。荚果近圆形。花期 7 ～ 9 月，果期 9 ～ 10 月。

| 生境分布 | 多见于石山山坡。分布于广东乳源、博罗、英德、连州、饶平等。

| 资源情况 | 野生资源较少，栽培资源一般。药材来源于野生和栽培。

| **采收加工** | 夏、秋季采收，晒干。

| **功能主治** | 甘、微苦，平。清暑利尿，截疟。用于中暑，小便不利，疟疾，感冒，高血压。

| **用法用量** | 内服煎汤，15 ~ 30 g。

| **凭证标本号** | 441322150806774LY。

蝶形花科 Papilionacese 苜蓿属 *Medicago*

天蓝苜蓿 *Medicago lupulina* Linn.

| 药 材 名 | 老蜗生（药用部位：全草。别名：黑荚苜蓿）。

| 形态特征 | 一、二年生或多年生草本。羽状三出复叶；小叶倒卵形、宽倒卵形或倒心形，上半部边缘具不明显尖齿，两面被毛，侧脉近 10 对；顶生小叶较大，侧生小叶叶柄甚短。花序小，头状，具 10 ~ 20 花；花萼钟形，密被毛，萼齿线状披针形；花冠黄色，旗瓣近圆形，翼瓣和龙骨瓣近等长，均比旗瓣短；子房宽卵圆形，被毛，花柱弯曲，胚珠 1。荚果肾状圆球形；种子卵圆形。花期 7 ~ 9 月，果期 8 ~ 10 月。

| 生境分布 | 常见于河岸、田野及林缘。分布于广东乐昌等。

| 资源情况 | 野生资源较少，栽培资源丰富。药材来源于野生和栽培。

| 采收加工 | 夏、秋季采收，晒干。

| 功能主治 | 甘、苦、微涩，凉；有小毒。清热利湿，舒筋活络，止咳平喘，凉血解毒。用于湿热黄疸，热淋，石淋，风湿痹痛，咳喘，痔血，蛇头疔，毒蛇咬伤。

| 用法用量 | 内服煎汤，9 ~ 15 g。外用适量，捣敷。

| 凭证标本号 | 440281190627028LY。

蝶形花科 Papilionacese 苜蓿属 *Medicago*

南苜蓿 *Medicago polymorpha* Linn.

| 药 材 名 | 金花菜（药用部位：全株或根。别名：黄花草子）。

| 形态特征 | 一、二年生草本。三出羽状复叶，小叶倒卵形或三角状倒卵形，几等大，纸质，先端钝，近平截或凹缺，具细尖，基部阔楔形。花序头状伞形；花冠黄色，旗瓣倒卵形，先端凹缺，基部阔楔形，比翼瓣和龙骨瓣长，翼瓣长圆形，基部具耳和稍阔的瓣柄，齿突甚发达，龙骨瓣比翼瓣稍短，基部具小耳，成钩状；子房长圆形。荚果圆盘形；种子长肾状圆球形。花期 3 ～ 5 月，果期 5 ～ 6 月。

| 生境分布 | 栽培种。分布于广东广州（市区）等。

| 资源情况 | 栽培资源丰富。药材来源于栽培。

| 采收加工 | 夏季采收全草，晒干或鲜用。秋季采挖根，洗净，晒干。

| 功能主治 | 微甘、苦、涩，平。清热凉血，利湿退黄，通淋排石。用于热病烦渴，黄疸，痢疾泄泻，石淋，肠风下血，浮肿。

| 用法用量 | 内服煎汤，15 ~ 30 g。外用适量，鲜品捣敷。

蝶形花科 Papilionacese 苜蓿属 *Medicago*

紫苜蓿 *Medicago sativa* Linn.

| 药材名 | 苜蓿根（药用部位：根。别名：苜蓿）。

| 形态特征 | 多年生草本。高 0.3 ~ 1 m。羽状三出复叶；小叶长卵形、倒长卵形或线状卵形，等大或顶生小叶稍大，边缘 1/3 以上具锯齿。花序总状或头状，具 5 ~ 10 花；花序梗比叶长；花冠淡黄色、深蓝色或暗紫色，花瓣均具长瓣柄，旗瓣长圆形，明显长于翼瓣和龙骨瓣，龙骨瓣稍短于翼瓣；子房线形，具柔毛，胚珠多数。荚果螺旋状扁圆柱形；种子卵状圆球形。花期 5 ~ 7 月，果期 6 ~ 8 月。

| 生境分布 | 生于田边、路旁、旷野、草原、河岸及沟谷等。分布于广东乐昌等。

| 资源情况 | 野生资源较少，栽培资源丰富。药材来源于野生和栽培。

| **采收加工** | 夏、秋季采收，晒干。

| **功能主治** | 涩、苦、微甘，平。清热凉血，利湿退黄，通淋排石。用于热病烦满，黄疸，尿路结石。

| **用法用量** | 内服捣汁，15 ~ 25 g；或研末，10 ~ 15 g。

蝶形花科 Papilionacese 草木犀属 *Melilotus*

草木犀 *Melilotus officinalis* (Linn.) Pall.

| 药 材 名 | 黄香草木犀（药用部位：全草。别名：辟汗草、黄花草木犀）。

| 形态特征 | 二年生草本。高 40 ~ 130 cm。羽状三出复叶；小叶倒卵形、阔卵形、倒披针形至线形，先端钝圆或截形，基部阔楔形，边缘具不整齐疏浅齿。总状花序腋生，具花 30 ~ 70；花冠黄色，旗瓣倒卵形，与翼瓣近等长，龙骨瓣稍短或三者均近等长；雄蕊筒在花后常宿存包于果实外；子房卵状披针形。荚果卵状圆球形，先端具宿存花柱；有种子 1 ~ 2；种子卵状球形。花期 5 ~ 9 月，果期 6 ~ 10 月。

| 生境分布 | 生于山坡、河岸、路旁、沙质草地及林缘。分布于广东乐昌等。

| 资源情况 | 野生资源较少，栽培资源一般。药材来源于野生和栽培。

| **采收加工** | 花期采收，阴干。

| **功能主治** | 辛、苦，凉；有小毒。清暑解毒，健胃和中，化湿，杀虫。用于暑湿胸闷，口臭，头涨，头痛，疟疾，痢疾。

| **用法用量** | 内服煎汤，3 ~ 5 g。外用适量，烧烟熏。

| **凭证标本号** | 440281190701012LY。

蝶形花科 Papilionacese 崖豆藤属 *Millettia*

绿花鸡血藤 *Millettia championii* Benth.

| 药 材 名 |

绿花崖豆藤（药用部位：根。别名：苦大力）。

| 形态特征 |

藤本。羽状复叶；小叶 2（～3）对，纸质，卵形或卵状长圆形，先端渐尖至尾尖，基部圆形，两面均无毛，光亮。圆锥花序顶生，花序轴密被细柔毛；花密集，单生；花冠黄白色，偶有红晕，花瓣近等长，旗瓣圆形，翼瓣直，基部具 2 小耳，龙骨瓣长圆形；雄蕊二体，对旗瓣的 1 雄蕊离生；花盘筒状，子房线形，胚珠多数。荚果线状圆柱形；种子 2～3，凸镜形。花期 6～8 月，果期 8～10 月。

| 生境分布 |

生于海拔 800 m 以下的山谷、灌丛间。分布于广东乳源、大埔、海丰、英德等。

| 资源情况 |

野生资源较少，栽培资源丰富。药材来源于野生和栽培。

| 采收加工 |

夏、秋季采收，切片，晒干或鲜用。

| 功能主治 | 苦，凉。祛风通络，凉血散瘀。用于血热妄行的出血证，跌打损伤，风湿痹痛，关节肿痛，中风口眼歪斜，面神经麻痹。

| 用法用量 | 内服煎汤，6 ~ 12 g。外用适量，鲜品捣敷。

| 凭证标本号 | 441523190920040LY。

蝶形花科 Papilionacese 崖豆藤属 *Millettia*

香花鸡血藤 *Millettia dielsiana* Harms

| 药 材 名 |

灰毛崖豆藤（药用部位：根、藤。别名：山鸡血藤、香花崖豆藤）。

| 形态特征 |

攀缘灌木。长 2 ~ 5 m。羽状复叶；小叶 2 对，纸质，披针形、长圆形至狭长圆形，先端急尖至渐尖，基部钝圆，偶近心形。圆锥花序顶生；花单生；花冠紫红色，旗瓣阔卵形至倒阔卵形，密被锈色或银色绢毛，基部稍呈心形，翼瓣甚短，约为旗瓣的 1/2，锐尖头，下侧有耳，龙骨瓣镰形；雄蕊二体，对旗瓣的 1 雄蕊离生；花盘浅皿状；子房线形。荚果线状圆柱形至长圆柱形。花期 5 ~ 9 月，果期 6 ~ 11 月。

| 生境分布 |

生于海拔 800 m 以下的山谷、灌丛间。广东各地均有分布。

| 资源情况 |

野生资源较少，栽培资源丰富。药材来源于野生和栽培。

| 采收加工 | 夏、秋季采收，切片，晒干。

| 功能主治 | 甘，温。补血行血，通经活络。根用于风湿关节痛，腰痛，跌打损伤，创伤出血。

| 用法用量 | 内服煎汤，15 ~ 30 g。

蝶形花科 Papilionacese 崖豆藤属 *Millettia*

异果鸡血藤 *Millettia dielsiana* Harms var. *heterocarpa* (Chun ex T. Chen) Z. Wei

| 药材名 | 异果崖豆藤（药用部位：根）。

| 形态特征 | 本种与香花鸡血藤 *Millettia dielsiana* Harms 的区别在于本种的小叶较宽大，果瓣薄革质，种子近圆球形。

| **生境分布** | 生于山坡杂木林林缘或灌丛中。广东大部分地区有分布。

| **资源情况** | 野生资源较少，栽培资源一般。药材来源于野生和栽培。

| **采收加工** | 夏、秋季采收，切片，晒干。

| **功能主治** | 涩、淡，温。补血，行血。用于月经不调。

| **用法用量** | 内服煎汤，9 ~ 15 g。

| **凭证标本号** | 441825190803030LY。

蝶形花科 Papilionacese 崖豆藤属 *Millettia*

亮叶鸡血藤 *Millettia nitida* Benth.

|药材名|

光叶崖豆藤（药用部位：根、藤茎）。

|形态特征|

攀缘灌木。羽状复叶；小叶 2 对，硬纸质，卵状披针形或长圆形，先端钝尖，基部圆形或钝。圆锥花序顶生；花单生；花冠青紫色，旗瓣密被绢毛，长圆形，近基部具 2 胼胝体，翼瓣短而直，基部戟形，龙骨瓣镰形，瓣柄长占 1/3；雄蕊二体，对旗瓣的 1 雄蕊离生；花盘皿状，子房线形。荚果线状长圆柱形，有种子 4 ~ 5；种子栗褐色，光亮，斜长圆柱形。花期 5 ~ 9 月，果期 7 ~ 11 月。

|生境分布|

常见于山谷林缘或山野间。广东大部分地区有分布。

|资源情况|

野生资源较少，栽培资源丰富。药材来源于野生和栽培。

|采收加工|

夏、秋季采收，切片，晒干。

| 功能主治 | 苦，温。活血补血，舒筋活络。用于痢疾，贫血，风湿关节痛。

| 用法用量 | 内服煎汤，15 ~ 30 g。

| 凭证标本号 | 441523191019009LY。

| 附　　注 | 在《中国植物志》中，本种的拉丁学名被修订为 *Callerya nitida* (Benth.) R. Geesink。

蝶形花科 Papilionacese 崖豆藤属 *Millettia*

厚果崖豆藤 *Millettia pachycarpa* Benth.

| 药 材 名 | 厚果鸡血藤（药用部位：茎、叶、种子）。

| 形态特征 | 大型藤本。长达 15 m。羽状复叶；小叶 13 ~ 17，对生，长椭圆形或长圆状披针形，纸质，先端锐尖，基部楔形或钝圆，上面无毛，下面被绢毛，沿中脉密被褐色茸毛，无小托叶。总状花序；花冠淡紫色，旗瓣卵形，无毛，基部无胼胝体，翼瓣与龙骨瓣稍短于旗瓣；子房密被茸毛。荚果肿胀，长圆形，有单粒种子时呈卵状圆球形；种子暗褐色，肾状圆球形，或挤压时呈棋子形。花期 4 ~ 6 月，果期 6 ~ 11 月。

| 生境分布 | 生于山坡常绿阔叶林或疏林中。分布于广东大部分地区。

| 资源情况 | 野生资源较少，栽培资源丰富。药材来源于野生和栽培。

| 采收加工 | 夏、秋季采收，晒干。

| 功能主治 | 苦、辛，温；有毒。叶，活血消肿，祛风杀虫。种子，攻毒止痛，消积杀虫。用于疥疮，癣，癞，痧证腹痛，小儿疳积。

| 用法用量 | 内服研末，1 ~ 1.5 g；或磨汁。外用适量，研末调敷。

| 凭证标本号 | 441823191002015LY。

蝶形花科 Papilionacese 崖豆藤属 *Millettia*

海南崖豆藤 *Millettia pachyloba* Drake

药材名

白药根（药用部位：根及根茎、藤茎、种子。别名：雷公藤蹄、毛瓣鸡血藤）。

形态特征

大型藤本。长达 20 m。羽状复叶；小叶 9，倒卵状长圆形或椭圆形，厚纸质，先端钝尖，有时具浅凹头，基部圆钝，上面无毛，光亮，下面密被黄色绢毛，后毛渐稀疏。总状花序聚集于枝梢；花冠淡紫色，花瓣近等长，旗瓣扁圆形，背面密被褐色绢毛，基部无胼胝体，翼瓣与龙骨瓣外露部分均被绢毛；子房密被毛。荚果菱状长圆柱形；种子暗褐色。花期 4 ~ 6 月，果期 7 ~ 11 月。

生境分布

生于疏林中或溪边灌丛中。分布于广东恩平、徐闻、怀集、高要、连山及云浮（市区）、广州（市区）等。

资源情况

野生资源较少，栽培资源丰富。药材来源于野生和栽培。

| **采收加工** | 根、藤茎，夏、秋季采收，切片，晒干。

| **功能主治** | 苦、辛，温；有小毒。消炎止痛。用于风湿痹症。

| **用法用量** | 内服煎汤，根茎 6 ~ 12 g。外用适量，种子捣敷。

| **凭证标本号** | 441224180612008LY。

蝶形花科 Papilionacese 崖豆藤属 *Millettia*

印度崖豆藤 *Millettia pulchra* (Benth.) Kurz

| 药 材 名 | 疏叶鸡血藤（药用部位：根。别名：印度鸡血藤、闹鱼藤、美花鸡血藤）。

| 形态特征 | 直立灌木或小乔木。高 3 ~ 8 m。羽状复叶；小叶 13 ~ 19，纸质，披针形或披针状椭圆形，先端急尖，基部渐窄或钝。总状圆锥花序腋生；花冠淡红色至紫红色，旗瓣长圆形，先端微凹，被线状细柔毛，基部截形，瓣柄短，翼瓣长圆形，具 1 耳，龙骨瓣长圆状镰形，与翼瓣均具长约 2.5 mm 的瓣柄；子房线形。荚果线状圆柱形，扁平，具 1 ~ 4 种子；种子褐色，椭圆球形。花期 4 ~ 8 月，果期 6 ~ 10 月。

| 生境分布 | 生于山地林中。分布于广东曲江、翁源、乳源、乐昌、南澳、台山、

高州、信宜、封开、阳春、阳山、连山、连南、连州、新兴及云浮（市区）、深圳（市区）、汕头（市区）、广州（市区）、茂名（市区）等。

| 资源情况 | 野生资源较少，栽培资源丰富。药材来源于野生和栽培。

| 采收加工 | 夏、秋季采收，切片，晒干。

| 功能主治 | 甘、辛，平。散瘀，消肿，止痛。

| 凭证标本号 | 440281200710004LY。

蝶形花科 Papilionacese 崖豆藤属 *Millettia*

昆明鸡血藤 *Millettia reticulata* Benth.

| 药 材 名 | 鸡血藤（药用部位：根、枝。别名：网络崖豆藤）。

| 形态特征 | 藤本。羽状复叶；小叶 3 ~ 4 对，硬纸质，卵状长椭圆形或长圆形，先端钝，渐尖，或微凹缺，基部圆形。圆锥花序顶生或着生于枝梢叶腋，常下垂，基部分枝；花密集，单生于分枝上；花冠红紫色，旗瓣无毛，卵状长圆形，基部截形，无胼胝体，瓣柄短，翼瓣和龙骨瓣均直，略长于旗瓣；雄蕊二体，对旗瓣的 1 雄蕊离生；子房线形。荚果线状圆柱形；种子长圆柱形。花期 5 ~ 11 月。

| 生境分布 | 生于海拔 1 000 m 以下的山地灌丛及沟谷。分布于广东乳源、乐昌、信宜、怀集、德庆、博罗、阳春、罗定及茂名（市区）、肇庆（市区）、阳江（市区）、云浮（市区）等。

| 资源情况 | 野生资源较少，栽培资源丰富。药材来源于野生和栽培。

| 采收加工 | 夏、秋季采收，切片，晒干。

| 功能主治 | 甘、涩，温；有小毒。补血活血，祛风湿，通经络，强筋骨。用于惊悸不眠，烦躁不安，癫狂，狂躁型精神分裂等。

| 用法用量 | 内服煎汤，10 ~ 30 g。

| 凭证标本号 | 440781190826013LY。

蝶形花科 Papilionacese 崖豆藤属 *Millettia*

美丽崖豆藤 *Millettia speciosa* Champ. ex Benth.

| 药 材 名 |

猪脚笠（药用部位：块根。别名：倒吊金钟、牛大力）。

| 形态特征 |

藤状灌木。高通常 1.5 ~ 3 m。根肥壮，肠状或不规则念珠状，近肉质而多纤维。叶为奇数羽状复叶；小叶 7 ~ 17，薄革质，长圆形或长圆状披针形，顶生小叶通常最大，先端短尖或短渐尖，具钝头，基部钝或圆，通常背卷。花白色，排成腋生、具多花的总状花序，有时数个或多个总状花序复结成顶生大型圆锥花序；花冠蝶形，各瓣均有爪，旗瓣圆，瓣片基部有 2 胼胝体状附属物。荚果线状长圆柱形或近线状圆柱形。花期 7 ~ 10 月，果期翌年 2 月。

| 生境分布 |

生于山谷、路旁、疏林中和灌丛中。分布于广东台山、徐闻、翁源、鼎湖、阳春、连山及广州（市区）、深圳（市区）、珠海（市区）、佛山（市区）、茂名（市区）等。

| 资源情况 |

野生资源较少，栽培资源丰富。药材来源于

野生和栽培。

| **采收加工** | 全年均可采收，洗净，切片，晒干。

| **药材性状** | 本品呈圆柱状或几个纺锤状连成 1 串，浅黄色或土黄色，稍粗糙，有环纹。商品多为切成长 4 ~ 9 cm、宽 2 ~ 3 cm、厚 1 ~ 1.5 cm 的块片。横切面皮部近白色，其内侧为 1 层不明显的棕色环纹，中间部分近白色，粉质，略疏松。老根近木质，坚韧，嫩根质脆，易折断。气微，味微甜。以片大、色白、粉质、味甜者为佳。

| **功能主治** | 甘，平。补虚润肺，强筋活络。用于腰肌劳损，风湿性关节炎，肺热，肺虚咳嗽，肺结核，慢性支气管炎，慢性肝炎，遗精，带下。

| **用法用量** | 内服煎汤，15 ~ 30 g。

| **凭证标本号** | 440783190122001LY。

蝶形花科 Papilionacese 崖豆藤属 *Millettia*

喙果崖豆藤 *Millettia tsui* Metc.

| 药 材 名 | 三叶鸡血藤（药用部位：藤茎。别名：老虎豆、徐氏鸡血藤）。

| 形态特征 | 藤本。长 3 ~ 10 m。羽状复叶；小叶 1 对，偶有 2 对，近革质，阔椭圆形或椭圆形，先端钝圆骤尖，基部钝圆至阔楔形。圆锥花序顶生；花密集，单生；花冠淡黄色带微红色或微紫色，旗瓣和花萼同被绢状绒毛，阔长圆形，基部具 2 耳，无胼胝体，瓣柄短，翼瓣长圆形，基部戟形，龙骨瓣镰形，直；子房线形。荚果肿胀，椭圆球形或线状长圆柱形；种子近球形或稍扁。花期 7 ~ 9 月，果期 10 ~ 12 月。

| 生境分布 | 生于海拔 200 ~ 1 000 m 的山地杂木林中。分布于广东从化、曲江、翁源、乳源、乐昌、高明、信宜、怀集、德庆、高要、阳山、连山、

英德、连州及茂名（市区）、阳江（市区）、清远（市区）等。

｜资源情况｜ 野生资源较少，栽培资源丰富。药材来源于野生和栽培。

｜采收加工｜ 夏、秋季采收，切片，晒干。

｜功能主治｜ 微苦、涩，平。补血，祛风湿。用于风湿关节痛，疮疡痈肿等。

｜用法用量｜ 内服煎汤，9 ~ 30 g。

｜凭证标本号｜ 441623180915006LY。

｜附　　注｜ 在《中国植物志》中，本种被修订为喙果鸡血藤 *Callerya tsui* (F. P. Metc.) Z. Wei & Pedley。

蝶形花科 Papilionacese 油麻藤属 *Mucuna*

白花油麻藤 *Mucuna birdwoodiana* Tutch.

| 药 材 名 | 血藤（药用部位：藤茎。别名：鸡血藤、禾雀花）。

| 形态特征 | 大型木质藤本。羽状复叶具 3 小叶；小叶近革质，顶生小叶椭圆形、卵形或略呈倒卵形，通常较长而狭，先端具渐尖头，基部圆形或稍楔形，侧生小叶偏斜。总状花序生于老枝上或生于叶腋，有花 20 ~ 30，常呈束状；花冠白色或带绿白色。果实木质，带状长圆柱形，近念珠状，密被红褐色短绒毛，幼果常被红褐色脱落的刚毛；种子 5 ~ 13，深紫黑色，近肾状圆球形。花期 4 ~ 6 月，果期 6 ~ 11 月。

| 生境分布 | 生于山谷林中。分布于广东增城、从化、新会、信宜、博罗、惠东、龙门、大埔、蕉岭、陆丰、和平、阳春、连山、饶平、罗定及东莞、

深圳（市区）、茂名（市区）、河源（市区）、清远（市区）、肇庆（市区）、惠州（市区）等。

| 资源情况 | 野生资源较少，栽培资源丰富。药材来源于野生和栽培。

| 采收加工 | 夏、秋季采收，切片，晒干。

| 功能主治 | 微苦、涩，平。补血，通经络，强筋骨。用于贫血，白细胞减少症，月经不调，麻木瘫痪，腰腿酸痛。

| 用法用量 | 内服煎汤，9 ~ 30 g。

| 凭证标本号 | 441523190405005LY。

蝶形花科 Papilionacese 油麻藤属 *Mucuna*

港油麻藤 *Mucuna championii* Benth.

| 药 材 名 | 毒毛麻雀豆（药用部位：根。别名：绢毛油麻藤）。

| 形态特征 | 高大攀缘藤本。长可达 10 m。上部近草质，基部木质。羽状复叶具 3 小叶；小叶纸质，顶生小叶宽卵形或菱状卵形，先端短渐尖或具细尖，基部宽楔形或圆形，侧生小叶两侧不对称，斜卵状披针形或宽椭圆状卵形，基部圆形或微心形，上面被金黄色丝毛。花序生于老茎上，通常每节具 3 花；花冠紫色，旗瓣圆形，基部的耳很小；子房密被柔毛。果实革质，不对称的长椭圆柱形；种子长椭圆形。花期 8 月。

| 生境分布 | 生于山地疏林中，攀缘于树上。分布于广东阳山及深圳（市区）等。

| 资源情况 | 野生资源较少，栽培资源丰富。药材来源于野生和栽培。

| 采收加工 | 夏、秋季采收，切片，晒干。

| 功能主治 | 甘、涩，平；有小毒。祛风除湿，舒筋活络，解毒。用于风寒感冒，风湿痹痛，腰膝酸痛，肠炎腹泻，无名肿毒。

| 用法用量 | 内服煎汤，9 ~ 30 g。

蝶形花科 Papilionacese 油麻藤属 *Mucuna*

黧豆 *Mucuna pruriens* (Linn.) DC. var. *utilis* (Wall. ex Wight) Baker ex Burck

| 药 材 名 | 狗爪豆（药用部位：叶、种子。别名：龙爪黧豆、猫豆）。

| 形态特征 | 一年生缠绕藤本。羽状复叶具 3 小叶；顶生小叶明显小于侧生小叶，卵圆形或长椭圆状卵形，基部菱形，先端具细尖头，侧生小叶极偏斜，斜卵形至卵状披针形，先端具细尖头，基部浅心形或近截形。总状花序下垂，有花 10 ~ 20 或更多；花冠深紫色或带白色，常较短。荚果嫩时绿色，密被灰色或浅褐色短毛，成熟时稍扁，黑色；种子 6 ~ 8，长圆柱形。花期 10 月，果期 11 月。

| 生境分布 | 栽培种。广东各地均有栽培。

| 资源情况 | 栽培资源丰富。药材来源于栽培。

| 采收加工 | 结果后采收，晒干。

| 功能主治 | 补中益气，清热凉血。用于腰脊酸痛。

| 用法用量 | 内服炖猪腰子，10 ~ 15 g。

| 凭证标本号 | 441421181124632LY。

蝶形花科 Papilionacese 油麻藤属 *Mucuna*

常春油麻藤 *Mucuna sempervirens* Hemsl.

| 药 材 名 | 棉麻藤（药用部位：藤茎。别名：牛马藤、常绿油麻藤）。

| 形态特征 | 常绿大木质藤本。长可达 25 m。羽状复叶具 3 小叶；小叶纸质或革质，顶生小叶椭圆形、长圆形或卵状椭圆形，先端具渐尖头，基部稍楔形，侧生小叶极偏斜，无毛；小叶柄膨大。总状花序生于老茎上，每节上有 3 花，无香气或有臭味；花冠深紫色，干后黑色；子房被毛。果实木质，带状长圆柱形，种子间缢缩，近念珠状；种子 4 ~ 12，扁长圆形。花期 4 ~ 5 月，果期 8 ~ 10 月。

| 生境分布 | 生于亚热带森林、灌丛、溪谷、河边。广东各地均有栽培。

| 资源情况 | 野生资源较少，栽培资源丰富。药材来源于野生和栽培。

| 采收加工 | 夏、秋季采收，切片，鲜用或晒干。

| 功能主治 | 甘、微苦，温。活血调经，补血舒筋。用于风湿关节痛，跌打损伤，血虚，月经不调，经闭。

| 用法用量 | 内服煎汤，15 ~ 30 g。外用适量，鲜品捣敷。

| 凭证标本号 | 445224190725007LY。

蝶形花科 Papilionacese 红豆属 *Ormosia*

肥荚红豆 *Ormosia fordiana* Oliv.

| 药 材 名 | 福氏红豆（药用部位：茎皮、根、叶。别名：鸭公青、青竹蛇、大红豆）。

| 形态特征 | 乔木。高达 17 m。奇数羽状复叶；小叶薄革质，倒卵状披针形或倒卵状椭圆形，稀椭圆形，顶生小叶较大，先端急尖或尾尖，基部楔形或略圆形。圆锥花序生于新枝先端；花大；花冠淡紫红色，旗瓣圆形，兜状，上部边缘内折，近基部中央有 1 黄色点，龙骨瓣与翼瓣相似，椭圆状倒卵形，先端钝；子房扁。荚果半圆球形或长圆柱形，具宿存花萼，有种子 1 ～ 4；种子大，长椭圆柱形。花期 6 ～ 7 月，果期 11 月。

| 生境分布 | 生于海拔 100 m 以上的山谷、山坡路旁、溪边杂木林中。分布于广

东乳源、乐昌、罗定、信宜、怀集、德庆、博罗、阳春及云浮（市区）、肇庆（市区）、茂名（市区）、阳江（市区）等。

| 资源情况 | 野生资源较少，栽培资源丰富。药材来源于野生和栽培。

| 采收加工 | 夏、秋季采收，鲜用或晒干。

| 功能主治 | 苦、涩，凉；有小毒。清热解毒，消肿止痛。茎皮用于牙龈炎，跌打损伤，肿痛，烫火伤。

| 用法用量 | 内服煎汤，6 ~ 9 g。外用适量，鲜叶捣敷；或根熬膏涂。

| 凭证标本号 | 441225180722031LY。

蝶形花科 Papilionacese 红豆属 *Ormosia*

花榈木 *Ormosia henryi* Prain

| 药 材 名 | 花梨木（药用部位：根或根皮、茎、叶。别名：红豆树、花梨木、亨氏红豆）。

| 形态特征 | 常绿乔木。高 16 m。奇数羽状复叶；小叶革质，椭圆形或长圆状椭圆形，先端钝或短尖，基部圆形或宽楔形。圆锥花序顶生，或总状花序腋生；花冠中央淡绿色，边缘绿色微带淡紫色，旗瓣近圆形，基部具胼胝体，半圆形，不凹或上部中央微凹，翼瓣倒卵状长圆形，淡紫绿色，龙骨瓣倒卵状长圆形；子房扁。荚果扁平，长椭圆柱形。种子椭圆球形或卵状圆球形。花期 7 ~ 8 月，果期 10 ~ 11 月。

| 生境分布 | 生于山地林中。分布于广东始兴、乐昌、南雄、龙门、五华、英德及广州（市区）等。

| 资源情况 | 野生资源较少，栽培资源丰富。药材来源于野生和栽培。

| 采收加工 | 夏、秋季采收，晒干。

| 功能主治 | 辛，温；有毒。活血化瘀，祛风消肿。根皮外用于骨折；叶外用于烫火伤。

| 用法用量 | 内服煎汤兑酒，6 ~ 9 g；或浸酒。外用适量，根皮捣敷；或干叶研末调油搽。

| 凭证标本号 | 441422210224685LY。

蝶形花科 Papilionacese 豆薯属 *Pachyrhizus*

沙葛 *Pachyrhizus erosus* (Linn.) Urb.

| 药 材 名 | 凉薯（药用部位：花蕾、块根、种子。别名：葛薯、豆薯、凉瓜）。

| 形态特征 | 草质缠绕藤本。主根块状，纺锤形或扁球形，肉质。叶为三出复叶；小叶菱形，中部以上不规则浅裂，裂片小或粗齿状，侧生小叶两侧极不对称。花排成腋生总状花序，总轴上有肿胀的节，每节生花 3 ~ 5；蝶形花冠浅紫色或淡红色，旗瓣近圆形，瓣片基部有 1 黄绿色斑块和 2 胼胝体状附属体，瓣爪上部有 2 直立耳状体，翼瓣镰形，基部具线形向下的耳，龙骨瓣镰形。荚果线状圆柱形。花期 6 ~ 8 月，果期 11 月。

| 生境分布 | 栽培种。广东各地均有栽培。

| 资源情况 | 栽培资源丰富。药材来源于栽培。

| 采收加工 | 花蕾，夏季采摘，晒干。

| 药材性状 | 本品花蕾呈扁肾状圆球形，长约 1 cm。花萼深黄色或黄褐色。花大小如谷粒，花序似谷穗。气微，味淡。以大、色黄、花梗少者为佳。

| 功能主治 | 花蕾、块根，甘，微凉。止渴，解酒毒。块根，用于肺热咳嗽，肺痈，中暑烦渴，消渴，乳少，小便不利。种子，甘，微凉；有毒。杀虫。用于疥癣，痈肿；外用于头虱。

| 用法用量 | 内服煎汤，5 ~ 10 g。

蝶形花科 Papilionacese 菜豆属 *Phaseolus*

棉豆 *Phaseolus lunatus* Linn.

|药 材 名| 金甲豆（药用部位：种子。别名：香豆、大白芸豆）。

|形态特征| 一年生或多年生缠绕草本。羽状复叶具 3 小叶；小叶卵形，先端渐尖或急尖，基部圆形或阔楔形，侧生小叶常偏斜。总状花序腋生；花冠白色、淡黄色或淡红色，旗瓣圆形或扁长圆形，先端微缺，翼瓣倒卵形，龙骨瓣先端旋卷 1 ~ 2 圈；子房被短柔毛。荚果镰状长圆柱形，内有种子 2 ~ 4。种子近菱状圆球形或肾状圆球形，白色、紫色或其他颜色。花期春、夏季间。

|生境分布| 栽培种。广东各地均有栽培。

|资源情况| 栽培资源丰富。药材来源于栽培。

| **采收加工** | 秋季采收，晒干。

| **功能主治** | 甘、苦，平。补血，活血，消肿。用于胸腹疼痛，跌打肿痛，水肿。

| **用法用量** | 内服煮食，30 ~ 50 g。

蝶形花科 Papilionacese 菜豆属 *Phaseolus*

菜豆 *Phaseolus vulgaris* Linn.

| 药材名 | 云扁豆（药用部位：果实。别名：四季豆、龙牙豆）。

| 形态特征 | 一年生缠绕或近直立草本。羽状复叶具 3 小叶；小叶宽卵形或卵状菱形，侧生小叶偏斜，先端长渐尖，有细尖，基部圆形或宽楔形，全缘。总状花序比叶短，有数朵生于花序顶部的花；花冠白色、黄色、紫堇色或红色，旗瓣近方形，翼瓣倒卵形，龙骨瓣先端旋卷；子房被短柔毛。荚果带状圆柱形；种子 4 ~ 6，长椭圆球形或肾状圆球形。花期春、夏季。

| 生境分布 | 栽培种。广东各地均有栽培。

| 资源情况 | 栽培资源丰富。药材来源于栽培。

| **采收加工** | 秋季采收，晒干。

| **功能主治** | 甘、淡，平。滋养解热，利尿消肿。用于水肿，脚气病。

| **用法用量** | 内服煎汤，3 ~ 12 g。

| **凭证标本号** | 445222190721008LY。

蝶形花科 Papilionacese 排钱树属 *Phyllodium*

毛排钱树 *Phyllodium elegans* (Lour.) Desv.

|药 材 名|

连里尾树（药用部位：根、枝叶。别名：毛排钱草）。

|形态特征|

灌木。高 0.5 ~ 1.5 m。小叶革质，顶生小叶卵形、椭圆形至倒卵形，侧生小叶斜卵形，长比顶生小叶约短 1 倍，两端钝，两面均密被绒毛，背面毛尤密。花通常 4 ~ 9 组成伞形花序生于叶状苞片内，叶状苞片排列成总状圆锥花序状，顶生或侧生；花冠白色或淡绿色，旗瓣基部渐狭，具不明显的瓣柄，翼瓣基部具耳和瓣柄，龙骨瓣较翼瓣大；种子椭圆球形。花期 7 ~ 8 月，果期 10 ~ 11 月。

|生境分布|

生于海拔 40 ~ 800 m 的平原、丘陵荒地或山坡、疏林或灌丛中。分布于广东增城、翁源、三水、台山、徐闻、信宜、德庆、高要、惠东、蕉岭、海丰、陆河、陆丰、阳春、揭西、新兴、郁南、罗定及茂名（市区）、广州（市区）、肇庆（市区）、深圳（市区）、珠海（市区）、河源（市区）、阳江（市区）等。

| 资源情况 | 野生资源较少，栽培资源丰富。药材来源于野生和栽培。

| 采收加工 | 夏季采收，鲜用或晒干。

| 功能主治 | 淡、涩，平；有小毒。清热利湿，活血祛瘀，软坚散结。用于跌打瘀肿，衄血，咯血，血淋，风湿痹痛，慢性肝炎，湿热下痢，小儿疳积，乳痈，瘰疬等。

| 用法用量 | 内服煎汤，15 ~ 30 g。外用适量，捣敷。

| 凭证标本号 | 441422190716016LY。

蝶形花科 Papilionacese 排钱树属 *Phyllodium*

排钱树 *Phyllodium pulchellum* (Linn.) Desv.

| 药 材 名 | 排钱草（药用部位：根、枝、叶。别名：虎尾金钱、钱串草）。

| 形态特征 | 灌木。高 0.5 ~ 2 m。小叶革质，顶生小叶卵形，椭圆形或倒卵形，侧生小叶约比顶生小叶小 1 倍，先端钝或急尖，基部圆或钝，侧生小叶基部偏斜，边缘稍呈浅波状，叶面近无毛，背面疏被短柔毛。伞形花序有花 5 ~ 6，藏于叶状苞片内，叶状苞片排列成总状圆锥花序状；花冠白色或淡黄色，旗瓣基部渐狭，具短而宽的瓣柄，翼瓣基部具耳，具瓣柄，龙骨瓣基部无耳，具瓣柄。种子宽椭圆球形或近圆球形。花期 7 ~ 9 月，果期 10 ~ 11 月。

| 生境分布 | 生于海拔 100 ~ 1 300 m 的丘陵荒地、路旁或山坡疏林中。分布于广东翁源、乳源、乐昌、台山、徐闻、怀集、封开、博罗、梅县、

大埔、海丰、连平、和平、阳山、连山、英德、新兴、郁南及中山、云浮（市区）、茂名（市区）、肇庆（市区）、河源（市区）、梅州（市区）、深圳（市区）、珠海（市区）、汕头（市区）、广州（市区）等。

| 资源情况 | 野生资源较少，栽培资源丰富。药材来源于野生和栽培。

| 采收加工 | 夏、秋季采收，晒干。

| 功能主治 | 淡、涩，平；有小毒。清热利湿，活血祛瘀，软坚散结。用于感冒发热，疟疾，肝炎，肝硬化腹水，血吸虫病，肝脾肿大，风湿疼痛，跌打损伤。

| 用法用量 | 内服煎汤，根 15 ～ 30 g，枝、叶 9 ～ 18 g。孕妇忌服。

| 凭证标本号 | 440781190826002LY。

蝶形花科 Papilionacese 豌豆属 *Pisum*

豌豆 *Pisum sativum* Linn.

| 药 材 名 | 回鹘豆（药用部位：种子。别名：麦豆、雪豆、荷兰豆）。

| 形态特征 | 一年生攀缘草本。高 0.5 ~ 2 m。叶具小叶 4 ~ 6；托叶比小叶大，叶状，心形，下缘具细牙齿；小叶卵圆形。花于叶腋单生或数朵排列为总状花序；花冠颜色多样，随品种而异，但多为白色和紫色；子房无毛。荚果肿胀，长椭圆柱形；种子 2 ~ 10，圆球形，青绿色，有皱纹或无，干后变为黄色。花期 6 ~ 7 月，果期 7 ~ 9 月。

| 生境分布 | 栽培种。广东各地均有栽培。

| 资源情况 | 栽培资源丰富。药材来源于栽培。

| 采收加工 | 夏、秋季采收，晒干。

| 功能主治 | 甘，平。利小便，调营卫，益中平气。用于消渴，吐逆，泻痢腹胀，霍乱转筋，乳少，脚气水肿，疮痈。

| 用法用量 | 内服煎汤，60 ~ 125 g；或煮食。外用适量，煎汤洗；或研末调涂。

| 凭证标本号 | 441284210110669LY。

蝶形花科 Papilionacese 水黄皮属 *Pongamia*

水黄皮 *Pongamia pinnata* (Linn.) Pierre

| 药 材 名 | 水流豆（药用部位：根、花、种子。别名：水流兵、水罗豆、水刀豆）。

| 形态特征 | 乔木。高 8 ~ 15 m。羽状复叶；小叶 2 ~ 3 对，近革质，卵形、阔椭圆形至长椭圆形，先端短渐尖或圆形，基部宽楔形、圆形或近截形。总状花序腋生，通常 2 花簇生于花序总轴的节上；花冠白色或粉红色，各瓣均具柄，旗瓣背面被丝毛，边缘内卷，龙骨瓣略弯曲。荚果有种子 1；种子肾状圆球形。花期 5 ~ 6 月，果期 8 ~ 10 月。

| 生境分布 | 生于海岸或池塘边。分布于广东东莞、深圳（市区）、广州（市区）等东南部沿海地区。

| 资源情况 | 野生资源较少，栽培资源丰富。药材来源于野生和栽培。

| **采收加工** | 种子，秋季果实成熟时采收，打下种子，晒干或鲜用。

| **功能主治** | 苦，寒；有小毒。祛风除湿，解毒杀虫。用于风湿痹痛，癣疥，脓疮。

| **用法用量** | 内服煎汤，9 ~ 15 g；或浸酒。外用适量，鲜品捣敷。

| **凭证标本号** | 440882180406763LY。

蝶形花科 Papilionacese 松豆属 *Psoralea*

补骨脂 *Psoralea corylifolia* Linn.

| 药 材 名 | 破故纸（药用部位：种子。别名：和兰苋、胡韭子）。

| 形态特征 | 一年生直立草本。高 40 ~ 90 cm。单叶互生，有时上部叶有 1 侧生小叶，圆形或卵圆形，先端钝或圆，基部常心形，两面均有黑色腺点。花组成腋生、具长总梗、密花的穗状花序；花冠蝶形，淡紫色或黄色；雄蕊 10，合成 1 束；子房倒卵形。荚果椭圆柱形，黑色，基部有宿存萼，不开裂；种子 1，肾状圆球形，略扁，棕黑色。花果期 7 ~ 10 月。

| 生境分布 | 栽培种。广东广州（市区）等有引种栽培。

| 资源情况 | 栽培资源丰富。药材来源于栽培。

| 采收加工 | 秋季采收，晒干。

| 药材性状 | 本品呈肾状圆球形或近长圆形，略扁，长 3 ~ 5 mm，宽 2 ~ 4 mm，厚约 0.5 mm。表面黑色、黑褐色或灰褐色，具网状皱纹和腺点。先端圆，有 1 小突起，凹入的一侧有果柄痕，有时有宿存萼。质坚硬。果皮薄，与种皮紧贴，不易分离，剥开后可见 2 富油质的黄白色子叶。气香，味辛、微苦。以粒大、饱满、色黑、气味浓者为佳。

| 功能主治 | 辛、微苦，温。温肾壮阳。用于肾虚阳痿，腰膝冷痛，肾虚遗精，遗尿，尿频，脾肾阳虚，五更泄泻，肾不纳气，虚寒喘咳。

| 用法用量 | 内服煎汤，6 ~ 15 g；或入丸、散剂。外用适量，浸酒涂。

蝶形花科 Papilionacese 紫檀属 *Pterocarpus*

紫檀 *Pterocarpus indicus* Willd.

| 药 材 名 | 青龙木（药用部位：树脂、心材、树胶。别名：印度紫檀、赤檀、羽叶檀）。

| 形态特征 | 大乔木。高 15 ~ 25 m。羽状复叶；小叶 3 ~ 5 对，卵形，先端渐尖，基部圆形，两面无毛，叶脉纤细。圆锥花序顶生或腋生，有多花；花冠黄色，花瓣有长柄，边缘皱波状；雄蕊 10，单体，最后分为 5+5 的二体；子房具短柄，密被柔毛。荚果圆球形，扁平，有种子 1 ~ 2。花期春季。

| 生境分布 | 栽培种。分布于广东博罗及广州（市区）、湛江（市区）等。

| 资源情况 | 栽培资源丰富。药材来源于栽培。

| 采收加工 | 全年均可采收，晒干。

| 功能主治 | 咸，平。祛瘀和营，止血定痛，解毒消肿。用于头痛，心腹痛，恶露不尽，小便淋痛，风毒痈肿，金疮出血。

| 用法用量 | 内服煎汤，3 ~ 6 g；或入丸、散剂。外用适量，研末敷；或磨汁涂。

蝶形花科 Papilionacese 葛属 *Pueraria*

野葛 *Pueraria lobata* (Willd.) Ohwi

| 药材名 | 葛（药用部位：根、花蕾。别名：葛藤）。

| 形态特征 | 草质大藤本。长达 8 m。有肥厚的块根。叶为三出复叶；顶生小叶菱状卵形，先端渐尖，基部圆，有时边缘浅裂，下面常有白霜，侧生小叶阔卵形，基部明显偏斜，有时边缘浅裂。花排成腋生、密花的总状花序；花冠蝶形，紫色，旗瓣近圆形，基部有 1 黄色附属体，具短爪，翼瓣弯镰状，基部有线形向下的耳，龙骨瓣具极小的耳。荚果线状长圆柱形。花期 9 ~ 10 月，果期 11 ~ 12 月。

| 生境分布 | 生于旷野灌丛中或山地疏林下。广东各地均有分布。

| 资源情况 | 野生资源较少，栽培资源丰富。药材来源于野生和栽培。

| 采收加工 | 根，冬季采挖，洗净，去除外皮和头尾，大条的切 2 ~ 4 瓣，或切长、宽均约 4 cm 的厚片，晒干或微火焙干。花蕾，夏季采收，晒干。

| 药材性状 | 本品根呈纵切的长方形厚片或小方块，长短厚薄不一，通常长 5 ~ 35 cm，厚 0.5 ~ 1 cm，表面黄白色或淡棕色，有纵皱纹。切开面黄白色，粗糙，多纤维，横切面略现同心环纹。质较疏松。气微，味淡。以富粉质、色白者为佳。花蕾为近开放或半开放，扁肾状圆球形。

| 功能主治 | 根，甘、辛，平。解肌退热，生津止渴，透发斑疹，解酒。用于感冒发热，口渴，头痛项强，疹出不透，急性胃肠炎，小儿腹泻，肠梗阻，痢疾，心绞痛，突发性耳聋。花蕾，甘，平。解酒，醒脾。用于伤酒烦渴，不思饮食，吐逆吐酸。

| 用法用量 | 内服煎汤，3 ~ 9 g。

| 凭证标本号 | 441825190708050LY。

| 附　　注 | 在《中国植物志》中，本种被修订为葛 *Pueraria montana* (Lour.) Merr.。

蝶形花科 Papilionacese 葛属 *Pueraria*

葛麻姆 *Pueraria lobata* (Willd.) Ohwi var. *montana* (Lour.) van der *Maesen* [*Pueraria montana* (Lour.) Merr.]

| 药 材 名 | 葛藤（药用部位：根、花蕾。别名：野葛）。

| 形态特征 | 本种与野葛 *Pueraria lobata* (Willd.) Ohwi 的区别在于本种的顶生小叶宽卵形，长大于宽，长 9 ～ 18 cm，宽 6 ～ 12 cm，先端渐尖，基部近圆形，通常全缘，侧生小叶略小而偏斜，两面均被长柔毛，下面毛较密；花冠长 12 ～ 15 mm，旗瓣圆形。花期 7 ～ 9 月，果期 10 ～ 12 月。

| 生境分布 | 生于草坡、路边或疏林下。广东各地均有分布。

| 资源情况 | 野生资源较少，栽培资源丰富。药材来源于野生和栽培。

| 采收加工 | 同“野葛”。

| 药材性状 | 同“野葛”。

| 功能主治 | 同“野葛”。

| 用法用量 | 内服煎汤，3 ~ 9 g。

| 凭证标本号 | 441284191207352LY。

蝶形花科 Papilionacese 葛属 *Pueraria*

粉葛 *Pueraria lobata* (Willd.) Ohwi var. *thomsonii* (Benth.) van der Maesen [*Pueraria thomsonii* Benth.]

| 药 材 名 |

葛（药用部位：根、花。别名：葛根）。

| 形态特征 |

本种与野葛 *Pueraria lobata* (Willd.) Ohwi 的主要区别在于本种的顶生小叶菱状卵形或宽卵形，侧生小叶斜卵形，长、宽均为 10 ~ 13 cm，先端急尖或具长小尖头，基部平截或急尖，全缘或具 2 ~ 3 裂片，两面均被黄色粗伏毛；花冠长 16 ~ 18 mm，旗瓣近圆形。花期 9 月，果期 11 月。

| 生境分布 |

栽培种。广东各地均有栽培。

| 资源情况 |

栽培资源丰富。药材来源于栽培。

| 采收加工 |

同“野葛”。

| 药材性状 |

同“野葛”。

| 功能主治 | 同“野葛”。

| 用法用量 | 内服煎汤，3 ~ 9 g。

| 凭证标本号 | 441825190504019LY。

蝶形花科 Papilionacese 葛属 *Pueraria*

三裂叶野葛 *Pueraria phaseoloides* (Roxb.) Benth.

| 药 材 名 | 三裂叶野葛（药用部位：全株）。

| 形态特征 | 草质藤本。羽状复叶具 3 小叶；小叶宽卵形、菱形或卵状菱形，顶生小叶较宽，侧生小叶较小，偏斜，全缘或 3 裂。总状花序单生，中部以上有花；花冠浅蓝色或淡紫色，旗瓣近圆形，基部有小片状、直立的附属体及 2 内弯的耳，翼瓣倒卵状长椭圆形，稍长于龙骨瓣，基部一侧有宽而圆的耳，具纤细而长的瓣柄，龙骨瓣镰状，先端具短喙，基部截形，具瓣柄；子房线形。荚果近圆柱状；种子长椭圆球形。花期 8 ~ 9 月，果期 10 ~ 11 月。

| 生境分布 | 生于山地、路旁、水边及山谷灌丛中。分布于广东英德、龙门、惠东、大埔、海丰、新兴、台山、德庆、罗定、郁南、阳春、徐闻及茂名（市

区）、云浮（市区）、河源（市区）、广州（市区）、深圳（市区）、肇庆（市区）等。

| 资源情况 | 野生资源较少，栽培资源丰富。药材来源于野生和栽培。

| 采收加工 | 夏、秋季采收，晒干。

| 功能主治 | 解热，驱虫。用于外感发热头痛，项背强痛，口渴，麻疹不透，热痢，眩晕头痛，中风偏瘫。

| 用法用量 | 内服煎汤，9 ~ 15 g。

| 凭证标本号 | 441523190920031LY。

蝶形花科 Papilionacese 密子豆属 *Pycnospora*

密子豆 *Pycnospora lutescens* (Poir.) Schindl.

| 药 材 名 | 假番豆草（药用部位：全草）。

| 形态特征 | 亚灌木状草本。高 15 ~ 60 cm。小叶近革质，倒卵形或倒卵状长圆形，顶生小叶先端圆形或微凹，基部楔形或微心形，侧生小叶常较小或有时缺，两面密被贴伏柔毛。总状花序，花很小，每 2 花排列于疏离的节上；花冠淡紫蓝色，子房有柔毛。荚果长圆柱形；种子 8 ~ 10，肾状椭圆形。花果期 8 ~ 9 月。

| 生境分布 | 生于海拔 50 ~ 1 300 m 的山野草坡及平原。分布于广东乳源、徐闻、博罗、惠东、龙门、海丰、阳山、连山、英德、饶平、新兴、罗定及深圳（市区）、珠海（市区）、广州（市区）、河源（市区）等。

| **资源情况** | 野生资源较少，栽培资源丰富。药材来源于野生和栽培。

| **采收加工** | 夏、秋季采收，晒干。

| **功能主治** | 淡，凉。利水通淋，消肿解毒。用于癃闭，石淋，白浊，水肿。

| **用法用量** | 内服煎汤，15 ~ 30 g。

| **凭证标本号** | 441622200921041LY。

蝶形花科 Papilionacese 鹿藿属 *Rhynchosia*

菱叶鹿藿 *Rhynchosia dielsii* Harms ex Diels

| 药 材 名 | 山黄豆藤（药用部位：根、茎叶）。

| 形态特征 | 草质藤本。叶具羽状 3 小叶；顶生小叶卵形、卵状披针形、宽椭圆形或菱状卵形，先端渐尖或尾状渐尖，基部圆形，背面有松脂状腺点，侧生小叶稍小，斜卵形。总状花序腋生；花疏生，黄色；花冠各瓣均具瓣柄，旗瓣倒卵状圆形，基部两侧具内弯的耳，翼瓣狭长椭圆形，具耳，其中一耳较长而弯，另一耳短小，龙骨瓣具长喙，基部一侧具钝耳。荚果长圆柱形或倒卵状圆球形；种子 2，近圆球形。花期 6 ~ 7 月，果期 8 ~ 11 月。

| 生境分布 | 常生于海拔 600 ~ 1 100 m 的山坡、路旁的灌丛中。广东各地均有分布。

| 资源情况 | 野生资源较少，栽培资源丰富。药材来源于野生和栽培。

| 采收加工 | 夏、秋季采收，晒干。

| 功能主治 | 涩、苦，凉。祛风清热，定惊解毒。用于风热感冒，咳嗽，小儿高热惊风，心悸，乳痈。

| 用法用量 | 内服煎汤，3 ~ 9 g。

蝶形花科 Papilionacese 鹿藿属 *Rhynchosia*

鹿藿 *Rhynchosia volubilis* Lour.

| 药 材 名 | 山黑豆（药用部位：根、茎、叶。别名：老鼠眼、痰切豆）。

| 形态特征 | 缠绕草质藤本。叶为羽状或有时近指状 3 小叶；小叶纸质，顶生小叶菱形或倒卵状菱形，先端钝或急尖，常有小凸尖，基部圆形或阔楔形，侧生小叶较小，常偏斜。总状花序 1 ~ 3 腋生；花冠黄色，旗瓣近圆形，有宽而内弯的耳，翼瓣倒卵状长圆形，基部一侧具长耳，龙骨瓣具喙；子房被毛及密集的小腺点。荚果长圆柱形；种子通常 2，椭圆球形或近肾状圆球形。花期 5 ~ 8 月，果期 9 ~ 12 月。

| 生境分布 | 生于土坡上、杂草中。分布于广东曲江、始兴、仁化、翁源、乳源、乐昌、台山、徐闻、高州、信宜、怀集、封开、高要、博罗、龙门、大埔、平远、蕉岭、紫金、连平、和平、阳山、连山、连南、英德、

连州、郁南、罗定及惠州（市区）、梅州（市区）、深圳（市区）、广州（市区）、云浮（市区）、清远（市区）等。

|资源情况| 野生资源较少，栽培资源丰富。药材来源于野生和栽培。

|采收加工| 根，秋季挖，除去泥土，洗净，鲜用或晒干。叶，5 ~ 6 月采收，鲜用或晒干。

|功能主治| 根，苦，平。活血止痛，解毒，消积。用于痛经，瘰疬，疖肿，小儿疳积。茎、叶，苦、酸，平。祛风除湿，活血解毒。用于风湿痹痛，头痛，牙痛，腰脊疼痛，瘀血腹痛，产褥热，瘰疬，痈肿疮毒，跌打损伤，烫火伤，小儿疳积，颈淋巴结结核，风湿性关节炎，腰肌劳损，蛇咬伤，血吸虫病，女子腰腹痛。

|用法用量| 内服煎汤，15 ~ 30 g。外用适量，鲜根捣敷。

|凭证标本号| 441523190918085LY。

蝶形花科 Papilionacese 刺槐属 *Robinia*

刺槐 *Robinia pseudoacacia* Linn.

| 药材名 | 洋槐（药用部位：根、花。别名：槐树、刺儿槐）。

| 形态特征 | 落叶乔木。高 10 ~ 25 m。羽状复叶；小叶 2 ~ 12 对，常对生，椭圆形、长椭圆形或卵形，先端圆，微凹，具小尖头，基部圆形至阔楔形，全缘。总状花序腋生，下垂；花多数，芳香；花冠白色，各瓣均具瓣柄，旗瓣近圆形，翼瓣斜倒卵形，与旗瓣几等长，基部一侧具圆耳，龙骨瓣镰状，三角形，与翼瓣等长或稍短于翼瓣；子房线形。荚果褐色，花萼宿存；种子近肾状圆球形。花期 4 ~ 6 月，果期 8 ~ 9 月。

| 生境分布 | 栽培种。广东乐昌等有引种栽培。

| 资源情况 | 栽培资源丰富。药材来源于栽培。

| 采收加工 | 花，夏季采收，晒干。

| 功能主治 | 根，苦，微寒。凉血止血，舒筋活络。花，甘，平。止血。用于大肠下血，咯血，妇女红崩，吐血。

| 用法用量 | 内服煎汤，9 ~ 15 g。

| 凭证标本号 | 441882180411035LY。

蝶形花科 Papilionacese 田菁属 *Sesbania*

田菁 *Sesbania cannabina* (Retz.) Pers.

|药 材 名|

向天蜈蚣（药用部位：根、叶、种子）。

|形态特征|

一年生草本。高 2 ~ 3.5 m。羽状复叶；小叶 20 ~ 30 对，对生或近对生，线状长圆形，先端钝至平截，具小尖头，基部圆形，两侧不对称。总状花序，具 2 ~ 6 花，疏松；花冠黄色，旗瓣横椭圆形至近圆形，翼瓣倒卵状长圆形，与旗瓣近等长，基部具短耳，龙骨瓣较翼瓣短，三角状阔卵形，长、宽近相等；柱头头状，顶生。荚果细长，长圆柱形；种子短圆柱状。花果期 7 ~ 12 月。

|生境分布|

栽培或逸生于水田、水沟等潮湿低地旁。分布于广东高要、饶平、封开、徐闻、海丰及广州（市区）等。

|资源情况|

野生资源较少，栽培资源丰富。药材来源于野生和栽培。

|采收加工|

叶、种子，夏、秋季采收，鲜用或晒干。

| 功能主治 | 甘、微苦，平。清热凉血，解毒利尿。叶用于发热，目赤肿痛，小便淋痛，尿血，毒蛇咬伤。

| 用法用量 | 内服煎汤，15 ~ 60 g。外用适量，鲜品捣敷。

| 凭证标本号 | 445224190726010LY。

蝶形花科 Papilionacese 田菁属 *Sesbania*

大花田菁 *Sesbania grandiflora* (Linn.) Pers.

| 药 材 名 | 木田菁（药用部位：茎皮）。

| 形态特征 | 小乔木。高 4 ～ 10 m。羽状复叶；小叶 10 ～ 30 对，长圆形至长椭圆形，先端圆钝至微凹，有小突尖，基部圆形至阔楔形。总状花序下垂，具 2 ～ 4 花；花冠白色、粉红色至玫瑰红色，旗瓣长圆状倒卵形至阔卵形，基部近心形，开花时反折，翼瓣镰状长卵形，不对称，龙骨瓣弯曲，下缘连合成舟状。荚果线状圆柱形；种子椭圆球形至近肾状圆球形。花果期 9 月至翌年 4 月。

| 生境分布 | 栽培种。广东广州（市区）等有引种栽培。

| 资源情况 | 栽培资源丰富。药材来源于栽培。

| **采收加工** | 夏、秋季采收，鲜用或晒干。

| **功能主治** | 甘、涩，寒。清热解毒，祛湿敛疮。

| **用法用量** | 内服煎汤，3 ~ 10 g。外用适量，鲜品研末调敷。

| **附　　注** | 本种喜温暖、湿润的气候，不耐寒。在土层深厚、疏松、肥沃的土壤中生长良好。

蝶形花科 Papilionacese 坡油甘属 *Smithia*

坡油甘 *Smithia sensitiva* Ait.

| 药 材 名 | 田基豆（药用部位：全草。别名：田唇乌蝇翼）。

| 形态特征 | 一年生灌木状草本。高 15 ~ 100 cm。偶数羽状复叶，具小叶 3 ~ 10 对；小叶薄纸质，长圆形，先端钝或圆形，具刚毛状的短尖头，边缘和上面中脉疏被刚毛。总状花序腋生；花小；花冠黄色，稍长于花萼，旗瓣倒卵形，先端微凹，瓣柄短，翼瓣较旗瓣短，长圆形，具瓣柄，翼瓣与龙骨瓣近等长；子房线形。荚果有荚节 4 ~ 6。花期 8 ~ 9 月，果期 9 ~ 10 月。

| 生境分布 | 生于海拔 50 ~ 1000 m 的田边或低湿处。分布于广东始兴、翁源、乳源、新丰、德庆、博罗、惠东、连平、阳春、阳山、连山、英德、新兴及清远（市区）、肇庆（市区）、广州（市区）等。

| 资源情况 | 野生资源较少，栽培资源丰富。药材来源于野生和栽培。

| 采收加工 | 夏、秋季采收，晒干或鲜用。

| 功能主治 | 微苦，平。解毒消肿，止咳。用于钩端螺旋体病，痈肿疮毒，毒蛇咬伤，咳嗽。

| 用法用量 | 内服煎汤，15 ~ 30 g。外用适量，鲜品捣敷。

| 凭证标本号 | 441900181116002LY。

蝶形花科 Papilionacese 苦参属 *Sophora*

苦参 *Sophora flavescens* Ait.

药 材 名

野槐（药用部位：根。别名：苦骨、地骨、地槐）。

形态特征

落叶亚灌木。高 0.5 ~ 1 m。叶为奇数羽状复叶，互生；小叶卵状椭圆形或长圆状披针形，先端圆形或具极短尖，基部圆形或楔形，全缘。总状花序顶生；花冠蝶形，黄白色，5 瓣，其中旗瓣稍长，先端近圆形；雄蕊 10，花丝基部合生；雌蕊 1，先端具长喙。荚果线状圆柱形；种子近球形，2 ~ 7，黑色。花期 6 ~ 8 月，果期 7 ~ 10 月。

生境分布

生于山坡、沙地草坡灌木林中或田野附近。分布于广东乳源、南澳、连州及云浮（市区）等。

资源情况

野生资源较少，栽培资源丰富。药材来源于野生和栽培。

采收加工

春、秋季采挖，除去根头和小侧根，洗净，

晒干或切片晒干。

| 药材性状 | 本品呈圆柱形，下部较细，常有分枝，长 10 ～ 30 cm，直径 1 ～ 3 cm。表面黄棕色或灰棕色，有较深的纵皱纹及横长皮孔，外皮薄，多破裂向外卷曲，易剥落而现出黄色的光滑内皮。质坚实，不易折断。切片厚约 0.3 ～ 1 cm，外层为黄褐色皮部，木部黄白色，有明显的圆环和微细的放射状纹。气微，味极苦。以条粗或片大、皮纹细、质坚硬、味苦者为佳。

| 功能主治 | 苦，寒；有小毒。清热利湿，祛风杀虫。用于湿热黄疸，小便不利，赤白带下，痔疮肿痛，麻风；外用于外阴瘙痒，阴道滴虫病，烫火伤。

| 用法用量 | 内服煎汤，15 ～ 30 g。

蝶形花科 Papilionacese 苦参属 *Sophora*

槐 *Sophora japonica* Linn.

| 药 材 名 | 金药树（药用部位：花蕾、果实。别名：护房树、豆槐）。

| 形态特征 | 落叶乔木。高达 12 m。奇数羽状复叶有小叶 7 ~ 15；小叶对生，膜质或薄纸质，卵形至长圆状披针形，先端短尖或短渐尖，基部钝圆至阔楔形。花排成顶生、阔大的圆锥花序；花冠蝶形，黄色，旗瓣阔心形，有爪，翼瓣与龙骨瓣近长圆形，均具爪。荚果线状圆柱形，因种子间荚壳缢缩而成念珠状。花期 7 ~ 8 月，果期 8 ~ 10 月。

| 生境分布 | 栽培种。广东北部等有栽培。

| 资源情况 | 栽培资源丰富。药材来源于栽培。

| 采收加工 | 花蕾，夏季临近开放时采收，摘取花枝，打下花蕾，晒干，除去枝

梗等杂质。

| 药材性状 | 本品花蕾呈卵形或长椭圆形，似米粒状，长 2 ~ 6 mm，直径 2 ~ 3 mm。黄色、黄绿色或青绿色，稍皱缩。花萼钟状，黄绿色，先端具不甚明显的 5 齿裂，间或连有短柄，上部为未开放的黄白色花冠。质轻，手捻即碎。气香，味微苦、涩。浸于水中，水被染成鲜黄色。以粒大饱满、均匀、色青黄、无枝梗者为佳。

| 功能主治 | 花蕾，苦，微寒。凉血止血，清肝泻火。用于便血，痔血，血痢，崩漏，吐血，衄血，肝热目赤，头痛眩晕。果实，苦，寒。清肠，止血。用于肠热便血，痔肿出血，肝热头痛，眩晕目赤。

| 用法用量 | 内服煎汤，6 ~ 10 g。

| 附　　注 | 本种喜光而稍耐荫，对土壤要求不严格，在酸性土至石灰性土及轻度盐碱土条件下都能正常生长。多用播种法繁殖。

蝶形花科 Papilionacese 苦参属 *Sophora*

越南槐 *Sophora tonkinensis* Gagnep.

| 药材名 | 柔枝槐（药用部位：根。别名：山豆根、广豆根）。

| 形态特征 | 小灌木。高达 2 m。奇数羽状复叶互生，有小叶 11 ～ 17；小叶长椭圆形或长卵形，先端 1 小叶常较大，全缘，上面深绿色，无毛或疏被短柔毛，下面灰白色或灰黄色，密被灰白色丝质短柔毛。圆锥花序顶生；花淡黄色；花冠蝶形，旗瓣圆形，先端凹缺，具爪，翼瓣和龙骨瓣具尖长耳；子房被毛。荚果有荚节 1 ～ 3；种子黑色。花期 5 ～ 7 月，果期 8 ～ 12 月。

| 生境分布 | 生于海拔 1 000 ～ 1 200 m 的亚热带或温带的石山或石灰岩山地的灌木林中。广东东部和西部等有栽培。

| 资源情况 | 野生资源较少，栽培资源丰富。药材来源于野生和栽培。

| 采收加工 | 夏、秋季采收，洗净，晒干。

| 药材性状 | 本品头部呈不规则的结节状，常残存茎基，簇生数条长圆柱形的根；根长短不等，直径 0.7 ~ 1.5 cm，棕色至棕褐色，有不规则的纵皱纹及凸起的横皮孔，常分枝。质坚硬，难折断，断面皮部浅棕色，木部淡黄色。嚼之有豆腥气，味极苦。以根条粗壮、质坚硬者为佳。

| 功能主治 | 苦，寒。清热解毒，消肿止痛，通便。用于急性咽喉炎，扁桃体炎，牙龈肿痛，肺热咳嗽，湿热黄疸，痈疖肿毒，便秘。

| 用法用量 | 内服煎汤，6 ~ 9 g。

| 凭证标本号 | 441827180422030LY。

蝶形花科 Papilionacese 密花豆属 *Spatholobus*

红血藤 *Spatholobus sinensis* Chun et T. Chen

| 药 材 名 | 华密花豆（药用部位：根、茎。别名：血格龙）。

| 形态特征 | 攀缘藤本。三出复叶，小叶革质，近同形，长圆状椭圆形，先端突然收缩成一短而略钝的尖头，基部钝圆，叶面光亮无毛，背面被疏微毛。圆锥花序通常腋生，密被棕褐色糙伏毛；花瓣紫红色，旗瓣扁圆形，翼瓣倒卵状长圆形，基部一侧具短尖耳垂，龙骨瓣镰状，长圆形，无耳。荚果斜长圆柱形；种子长圆球形。花期 6 ~ 7 月。

| 生境分布 | 生于低海拔的山谷密林中较阴湿处。分布于广东云浮（市区）等。

| 资源情况 | 野生资源较少，栽培资源一般。药材来源于野生和栽培。

| 采收加工 | 夏、秋季采收，切片，晒干。

| 功能主治 | 甘、辛，温。活血止痛，祛风除湿。用于风湿痹痛，血虚经闭，月经不调，痛经，跌打损伤，肢体麻木，腰膝酸痛。

| 用法用量 | 内服煎汤，9 ~ 15 g。

蝶形花科 Papilionacese 密花豆属 *Spatholobus*

密花豆 *Spatholobus suberectus* Dunn

| **药材名** | 鸡血藤（药用部位：藤茎。别名：血风、血藤、血风藤）。

| **形态特征** | 攀缘藤本，幼时呈灌木状。小叶纸质或近革质，异形，顶生小叶两侧对称，宽椭圆形、宽倒卵形至近圆形，先端骤缩为短尾状，具钝尖头，基部宽楔形，侧生小叶两侧不对称。圆锥花序腋生或生于小枝先端；花瓣白色，旗瓣扁圆形，翼瓣斜楔状长圆形，基部一侧具短尖耳垂，龙骨瓣倒卵形，基部一侧具短尖耳垂。荚果近镰状圆柱形；种子扁长圆球形。花期 6 月，果期 11 ~ 12 月。

| **生境分布** | 生于海拔 500 ~ 1 300 m 的山地疏林、密林沟谷或灌丛中。分布于广东怀集、英德、高要等。

周劲松提供

| 资源情况 | 野生资源较少，栽培资源丰富。药材来源于野生和栽培。

| 采收加工 | 全年均可采收，除去细枝，切斜片或长段，晒干。

| 药材性状 | 本品切段的呈不规则扁圆柱形，稍扭曲，长约 50 cm，切片的呈椭圆形或不规则长圆形斜片，长 5 ~ 10 cm，宽 3 ~ 6 cm，厚 0.5 ~ 2 cm。外表面灰棕色，有明显的纵沟并散布棕褐色点状皮孔，偶有灰白色斑痕，节微隆起。质坚实，不易折断。横切面皮部棕褐色，木部红棕褐色，密布针孔状导管，树脂状分泌物红棕色或黑棕色，与木部相间排列成 3 ~ 8 偏心的半圆形或扁圆形的环，髓偏心，嫩枝特别明显。气微，味涩。以红色环纹明显、有 3 环以上且渗出树脂多者为佳。

| 功能主治 | 甘、辛，温。活血止痛，祛风除湿。用于贫血，月经不调，闭经，风湿痹痛，腰腿酸痛，四肢麻木，瘫痪，筋骨无力，遗精，放射反应引起的白细胞减少症。

| 用法用量 | 内服煎汤，15 ~ 30 g；或浸酒。

| 凭证标本号 | 441422190928251LY。

蝶形花科 Papilionacese 葫芦茶属 *Tadehagi*

葫芦茶 *Tadehagi triquetrum* (Linn.) Ohashi

| 药 材 名 | 剃刀柄（药用部位：全株。别名：虫草、金剑草）。

| 形态特征 | 灌木或亚灌木。茎直立，高 1 ~ 2 m。叶仅具单小叶；小叶纸质，狭披针形至卵状披针形，先端急尖，基部圆形或浅心形。总状花序顶生和腋生；花 2 ~ 3 簇生于每节上；花冠淡紫色或蓝紫色，伸出花萼外，旗瓣近圆形，先端凹入，翼瓣倒卵形，基部具耳，龙骨瓣镰形，弯曲，瓣柄与瓣片近等长。荚果有荚节 5 ~ 8，荚节近方形；种子宽椭圆球形或椭圆球形。花期 6 ~ 10 月，果期 10 ~ 12 月。

| 生境分布 | 生于海拔 1 400 m 以下的荒地或山地林缘、路旁。广东各地均有分布。

| 资源情况 | 野生资源较少，栽培资源丰富。药材来源于野生和栽培。

| 采收加工 | 夏、秋季采挖，晒干。

| 药材性状 | 本品长 40 ~ 120 cm。根近圆柱形，扭曲，灰棕色或棕红色，质硬稍韧，断面黄白色。茎基部圆柱形，灰棕色至暗棕色，木质，上部三棱柱形，草质，疏被短硬毛。小叶卵状披针形，薄革质，长 6 ~ 12 cm 或稍过之，灰绿色或黄色，基部钝圆，下面稍被毛；叶柄长约 1.5 cm，有阔翅；托叶披针形，与叶柄近等长，淡棕色。花序或果序偶见，腋生，长 15 ~ 30 cm；蝶形花多数，淡紫红色，长不及 1 cm。荚果扁平，长 2 ~ 4 cm，有 5 ~ 8 方形的荚节。气微，味淡。以带根、叶多、色绿者为佳。

| 功能主治 | 微苦、涩，凉。清热解毒，消积利湿，杀虫防腐。用于风热咳嗽，肺痈，痈肿，瘰疬，黄疸。

| 用法用量 | 内服煎汤，15 ~ 60 g。

| 凭证标本号 | 440783190522002LY。

蝶形花科 Papilionacese 灰毛豆属 *Tephrosia*

灰毛豆 *Tephrosia purpurea* (Linn.) Pers.

| 药 材 名 | 野蓝靛（药用部位：全草。别名：野青树、假靛青、山青）。

| 形态特征 | 灌木状草本。高达 1.5 m。羽状复叶；小叶 4 ~ 8（~ 10）对，椭圆状长圆形至椭圆状倒披针形，先端钝，截形或微凹，具短尖，基部狭圆。总状花序顶生、与叶对生或生于上部叶腋；花每节 2（~ 4），疏散；花冠淡紫色，旗瓣扁圆形，翼瓣长椭圆状倒卵形，龙骨瓣近半圆形；子房密被柔毛。荚果线状圆柱形，有种子 6。花期 3 ~ 10 月。

| 生境分布 | 生于旷野及山坡。广东各地均有栽培。

| 资源情况 | 野生资源较少，栽培资源丰富。药材来源于野生和栽培。

| 采收加工 | 全年均可采收，晒干。

| 功能主治 | 微苦，平；有毒。解表，健脾燥湿，行气止痛。用于风热感冒，消化不良，腹胀腹痛，慢性胃炎；外用于湿疹，皮炎。

| 用法用量 | 内服煎汤，9 ~ 15 g。外用适量，煎汤洗。

| 凭证标本号 | 441882180508029LY。

| 附　　注 | 本品有毒，根部毒性最强，含有灰叶素和鱼藤酮。中毒症状为腹泻。

蝶形花科 Papilionacese 胡卢巴属 *Trigonella*

胡卢巴 *Trigonella foenum graecum* Linn.

| 药 材 名 | 芸香（药用部位：种子。别名：香豆、香草）。

| 形态特征 | 一年生草本。高 30 ~ 80 cm。羽状三出复叶；小叶长倒卵形、卵形至长圆状披针形，近等大，先端钝，基部楔形，边缘上半部具三角形尖齿。花无梗，1 ~ 2 着生于叶腋；花冠黄白色或淡黄色，基部稍呈堇青色，旗瓣长倒卵形，先端深凹，明显长于翼瓣和龙骨瓣；子房线形。荚果圆筒状；种子卵状长圆球形。花期 4 ~ 7 月，果期 7 ~ 9 月。

| 生境分布 | 生于田间、路旁。分布于地中海东岸、中东、伊朗高原以至喜马拉雅地区。广东部分地区有栽培。

| **资源情况** | 野生资源较少，栽培资源一般。药材来源于野生和栽培。

| **采收加工** | 秋季采收，晒干。

| **功能主治** | 苦、温。补肾壮阳，祛痰除湿。用于肾脏虚冷，小腹冷痛，小肠疝气，寒湿脚气。

| **用法用量** | 内服煎汤，4.5 ~ 9 g。

蝶形花科 Papilionacese 狸尾豆属 *Uraria*

猫尾草 *Uraria crinita* (Linn.) Desv. ex DC.

| 药 材 名 | 狐狸尾（药用部位：全株。别名：猫尾射）。

| 形态特征 | 直立亚灌木。高 1 ~ 1.5 m。羽状复叶有小叶 3 ~ 5 或有时 7；小叶近革质，长圆形、卵状披针形或卵形，先端略尖，基部圆形或浅心形。花紫色，密集排成顶生总状花序；花冠蝶形，旗瓣倒卵圆形，翼瓣和龙骨瓣贴合，龙骨瓣钝，稍内弯；子房无柄，花柱内弯。荚果微被短柔毛，有荚节 2 ~ 4，荚节椭圆柱形。花果期 4 ~ 9 月。

| 生境分布 | 生于海拔 850 m 以下的坡地、路旁或灌丛中。广东各地均有分布。

| 资源情况 | 野生资源较少，栽培资源丰富。药材来源于野生和栽培。

| 采收加工 | 秋季花期采收，晒干。

| 药材性状 | 本品长 50 ~ 120 cm，青绿色或青黄色。根多数，粗而长，土黄色。叶互生，常皱卷或破碎，为奇数羽状复叶，具长柄；小叶 3 ~ 7，对生，长圆形、卵状披针形或椭圆形，薄革质，长 10 ~ 15 cm，宽 5 ~ 7 cm，全缘，上面通常无毛，下面被柔毛。总状花序顶生，上端弯曲，长约 30 cm 或更长，似狗尾状；残留的紫色花梗呈钩状。荚果偶见。气微，味甘、淡。以枝叶多、根粗长、带花穗者为佳。

| 功能主治 | 甘、微苦，平。清热，解毒，止血，消痈。用于咳嗽，肺痈，吐血，咯血，尿血，脱肛，阴挺，肿毒。

| 用法用量 | 内服煎汤，30 ~ 60 g。

| 凭证标本号 | 441825190712012LY。

蝶形花科 Papilionacese 狸尾豆属 *Uraria*

长穗猫尾草 *Uraria crinita* (Linn.) Desv. ex DC. var. *macrostachya* Wall.

| 药 材 名 | 长穗猫尾射（药用部位：全株。别名：兔狗尾、狐狸尾、虎尾轮）。

| 形态特征 | 直立亚灌木。高1 ~ 1.5 m。奇数羽状复叶，互生；小叶3 ~ 7，对生，叶片卵状披针形或椭圆形，先端短尖，基部圆形或稍心形，全缘。总状花序顶生，穗状；花极稠密；花冠蝶形，紫色，旗瓣阔，翼瓣和龙骨瓣贴合。荚果有2 ~ 4节；种子黑褐色，有光泽。花期5 ~ 7月，果期7 ~ 9月。

| 生境分布 | 生于旷野坡地灌丛中。广东各地均有分布。

| 资源情况 | 野生资源较少，栽培资源丰富。药材来源于野生和栽培。

| 采收加工 | 秋季花期采收，晒干。

| 药材性状 | 同“猫尾草”。

| 功能主治 | 淡，凉。清热化痰，凉血止血，杀虫。用于感冒，咳嗽，疟疾，吐血，咯血，尿血，外伤出血，小儿疳积，丝虫病。

| 用法用量 | 内服煎汤，30 ~ 60 g。

| 附　　注 | 在《中国植物志》中，本种被修订为猫尾草 *Uraria crinita* (Linn.) Desv. ex DC.。

蝶形花科 Papilionacese 狸尾豆属 *Uraria*

狸尾草 *Uraria lagopodioides* (Linn.) Desv. et DC.

| 药材名 | 兔尾草（药用部位：全草。别名：龙狗尾、狐狸尾）。

| 形态特征 | 多年生草本。通常高达 60 cm。叶多为 3 小叶，稀兼有单小叶；小叶纸质，顶生小叶近圆形或椭圆形至卵形，先端圆形或微凹，有细尖，基部圆形或心形，侧生小叶较小，叶面略粗糙。总状花序顶生；花排列紧密；花冠淡紫色，旗瓣倒卵形，基部渐狭；雄蕊二体；子房无毛。荚果小，包藏于花萼内，有荚节 1 ~ 2，荚节椭圆柱形。花果期 8 ~ 10 月。

| 生境分布 | 多生于海拔 1 000 m 以下的旷野坡地灌丛中。分布于广东翁源、乳源、乐昌、徐闻、电白、封开、惠东、龙门、英德及云浮（市区）、韶关（市区）、深圳（市区）、肇庆（市区）、广州（市区）等。

| 资源情况 | 野生资源较少，栽培资源丰富。药材来源于野生和栽培。

| 采收加工 | 夏、秋季采收，鲜用或晒干。

| 功能主治 | 甘、淡，平。消肿，驱虫，清热解毒。用于疮毒，疳积，痔疮，毒蛇咬伤，瘰疬。

| 用法用量 | 内服煎汤，15 ~ 30 g。外用适量，鲜品捣敷。

| 凭证标本号 | 440781190516007LY。

蝶形花科 Papilionacese 野豌豆属 *Vicia*

广布野豌豆 *Vicia cracca* Linn.

| 药 材 名 | 落豆秧（药用部位：全草。别名：鬼豆角、草藤、灰野豌豆）。

| 形态特征 | 多年生草本。高 40 ~ 150 cm。偶数羽状复叶；小叶 5 ~ 12 对互生，线形、长圆形或披针状线形，先端锐尖或圆形，具短尖头，基部近圆形或近楔形，全缘。总状花序；花 10 ~ 40，密集；花冠紫色、蓝紫色或紫红色，旗瓣长圆形，中部缢缩成提琴形，先端微缺，瓣柄与瓣片近等长，翼瓣与旗瓣近等长，明显长于龙骨瓣，先端钝。荚果长圆柱形或长圆菱柱形；种子 3 ~ 6，扁圆球形。

| 生境分布 | 生于田边、路旁、草坡。分布于广东乳源、高要及广州（市区）等。

| 资源情况 | 野生资源较少，栽培资源丰富。药材来源于野生和栽培。

| 采收加工 | 夏、秋季采收，晒干。

| 功能主治 | 辛、苦，温。祛风除湿，活血消肿，解毒止痛。用于风湿痹痛，肢体痿废，跌打损伤，湿疹，疮毒，月经不调，咳嗽痰多，痞疾，衄血。

| 用法用量 | 内服煎汤，15 ~ 30 g。

蝶形花科 Papilionacese 野豌豆属 *Vicia*

蚕豆 *Vicia faba* Linn.

| 药 材 名 | 胡豆（药用部位：茎、叶、花、荚果、种子）。

| 形态特征 | 一年生直立草本。茎高 30 ~ 180 cm。偶数羽状复叶，小叶 1 ~ 3 对，椭圆形或广椭圆形，先端圆或钝，具细尖，基部楔形，全缘。总状花序腋生；花大；花冠蝶形，白色，具红紫色斑纹，旗瓣倒卵形，先端钝，向基部渐狭，翼瓣及龙骨瓣具爪。荚果长椭圆柱形；种子 2 ~ 4，卵圆球形，略扁平。花期 3 ~ 4 月，果期 6 月。

| 生境分布 | 栽培种。广东各地均有栽培。

| 资源情况 | 栽培资源丰富。药材来源于栽培。

| 采收加工 | 花，3 ~ 4 月开花时采摘，晒干或文火焙干。种子，果实成熟呈黑褐色时采收，晒干或鲜用。

| 药材性状 | 本品花常皱缩，长 2 ~ 3 cm，黑褐色，多 1 ~ 4 着生于极短的总花梗上。萼筒钟状，紧贴花冠管，先端 5 裂，裂片卵状披针形，有时因干燥而残缺；旗瓣在外，包裹着翼瓣和龙骨瓣，因皱缩卷曲而不易辨认。气微香，味淡。以身干，花完整，无叶、梗，无霉杂者为佳。

| 功能主治 | 茎，止血，止泻。用于各种内出血，水泻，烫伤。叶，微甘，温。用于肺痨咯血，消化道出血，臁疮等。花，甘，平。凉血，止血。用于咯血，鼻衄，血痢，带下，高血压。荚果，利尿渗湿。用于水肿，脚气病，小便淋痛，天疱疮，黄水疮。种子，甘，平。健脾，利湿。用于膈食，水肿。

| 用法用量 | 内服煎汤，15 ~ 30 g。

蝶形花科 Papilionacese 野豌豆属 *Vicia*

小巢菜 *Vicia hirsuta* (Linn.) S. F. Gray

| 药材名 | 硬毛果野豌豆（药用部位：全草。别名：雀野豆、小巢豆）。

| 形态特征 | 一年生草本。高 15 ~ 90（~ 120）cm，攀缘或蔓生。偶数羽状复叶末端卷须分枝。总状花序明显短于叶；花 2 ~ 4（~ 7）密集生于花序轴先端，甚小；花冠白色、淡蓝青色或紫白色，稀粉红色，旗瓣椭圆形，先端平截有凹，翼瓣近勺形，与旗瓣近等长，龙骨瓣较短。荚果长圆菱柱形；种子 2，扁圆球形。花果期 2 ~ 7 月。

| 生境分布 | 生于海拔 200 ~ 1 500 m 的山沟、河滩、田边和路旁草丛。分布于广东曲江、乐昌及广州（市区）等。

| 资源情况 | 野生资源较少，栽培资源丰富。药材来源于野生和栽培。

| 采收加工 | 春、夏季采收，晒干。

| 功能主治 | 甘、淡，平。清热利湿，调经止血。活血平胃，利五脏，明目。用于疔疮，肾虚遗精，腰痛。

| 用法用量 | 内服煎汤，20 ~ 30 g。

蝶形花科 Papilionacese 野豌豆属 *Vicia*

救荒野豌豆 *Vicia sativa* Linn.

| 药 材 名 | 野豌豆（药用部位：全草或种子。别名：大巢菜、野绿豆、野麻碗）。

| 形态特征 | 一年生或二年生草本。高 15 ~ 90（~ 105） cm。偶数羽状复叶；小叶 2 ~ 7 对，长椭圆形或近心形，先端圆或平截有凹，具短尖头，基部楔形。花 1 ~ 2（~ 4）腋生，近无梗；花冠紫红色或红色，旗瓣长倒卵圆形，先端圆，微凹，中部缢缩，翼瓣短于旗瓣，长于龙骨瓣；子房线形。荚果线状长圆柱形；种子 4 ~ 8，圆球形。花期 4 ~ 7 月，果期 7 ~ 9 月。

| 生境分布 | 生于海拔 50 ~ 1 000 m 的荒山、田边草丛及林中。分布于广东曲江、乳源、高要、梅县、英德及广州（市区）等。

|资源情况| 野生资源较少，栽培资源丰富。药材来源于野生和栽培。

|采收加工| 夏季采收，晒干或鲜用。

|功能主治| 甘、辛，寒。补肾调经，祛痰止咳。用于肾虚腰痛，遗精，月经不调，咳嗽痰多；外用于疔疮。

|用法用量| 内服煎汤，15 ~ 30 g。外用适量，鲜全草捣敷；或煎汤洗。

蝶形花科 Papilionacese 野豌豆属 *Vicia*

野豌豆 *Vicia sepium* Linn.

| 药材名 | 滇野豌豆（药用部位：全草或种子、叶、花、果实）。

| 形态特征 | 多年生草本。高 30 ~ 100 cm。偶数羽状复叶，小叶 5 ~ 7 对；小叶长卵圆形或长圆状披针形，先端钝或平截，微凹，有短尖头，基部圆形，两面被疏柔毛，下面毛较密。短总状花序腋生；花冠红色或近紫色至浅粉红色，稀白色，旗瓣近提琴形，先端凹，翼瓣短于旗瓣，龙骨瓣内弯，最短；子房线形。荚果宽长圆柱状，近菱形；种子 5 ~ 7，扁圆球形。花期 6 月，果期 7 ~ 8 月。

| 生境分布 | 生于海拔 700 ~ 1 200 m 的山坡、林缘草丛。分布于广东乐昌等。

| 资源情况 | 野生资源较少，栽培资源丰富。药材来源于野生和栽培。

| 采收加工 | 全草，夏、秋季采收。

| 功能主治 | 种子，活血通经，下乳，消肿。用于血瘀，经闭，乳汁不下，痈肿疔毒。叶、花、果实，清热解毒，消肿。

| 用法用量 | 全草，内服煎汤，10 ~ 25 g，鲜品 50 ~ 75 g。外用适量，煎汤熏洗；或研末调敷。

| 凭证标本号 | 441882180411003LY。

蝶形花科 Papilionacese 豇豆属 *Vigna*

赤豆 *Vigna angularis* (Willd.) Ohwi et H. Ohashi

| 药 材 名 | 红豆（药用部位：种子。别名：红小豆）。

| 形态特征 | 一年生直立或缠绕草本。高 30 ~ 90 cm。羽状复叶具 3 小叶；小叶卵形至菱状卵形，先端宽三角形或近圆形，侧生小叶偏斜。花黄色，5 或 6 花生于短的总花梗先端；花梗极短；旗瓣扁圆形或近肾状圆球形，常稍歪斜，先端凹，翼瓣比龙骨瓣宽，具短瓣柄及耳，龙骨瓣先端弯曲近半圈，基部有瓣柄；子房线形。荚果圆柱状；种子长圆球形。花期夏季，果期 9 ~ 10 月。

| 生境分布 | 栽培种。广东各地均有栽培。

| 资源情况 | 栽培资源丰富。药材来源于栽培。

| 采收加工 | 秋季果实成熟而未开裂时采收，除去杂质，晒干。

| 药材性状 | 本品呈长圆状而稍扁，一端较大，长 5 ～ 8 mm，直径 3 ～ 5 mm。表面紫红色，微有光泽，种脐偏于一端，线形，白色，约为全长的 2/3，中间为 1 纵沟，背面有一不明显的棱脊。质坚硬，不易破碎，破开种皮可见乳白色子叶 2。气微，味微甘。以颗粒饱满，色紫红者为佳。

| 功能主治 | 甘、酸，平。利水消肿，解毒排脓。用于水肿胀满，脚气浮肿，黄疸尿赤，风湿热痹，痈肿疮毒，肠痈腹痛。

| 用法用量 | 内服煎汤，9 ～ 60 g。

蝶形花科 Papilionacese 豇豆属 *Vigna*

贼小豆 *Vigna minima* (Roxb.) Ohwi et H. Ohashi

| 药 材 名 | 山绿豆（药用部位：种子。别名：狭叶菜豆、细茎豇豆、细叶小豇豆）。

| 形态特征 | 一年生缠绕草本。羽状复叶具 3 小叶；小叶的形状和大小变化颇大，卵形、卵状披针形、披针形或线形，先端急尖或钝，基部圆形或宽楔形，两面近无毛或被极稀疏的糙伏毛。总状花序柔弱；总花梗远长于叶柄，通常有花 3 ~ 4；花冠黄色，旗瓣极外弯，近圆形；龙骨瓣具长而尖的耳。荚果圆柱形；种子 4 ~ 8，长圆球形。花果期 8 ~ 10 月。

| 生境分布 | 生于路旁、田野、旷野。分布于广东翁源、乳源、新丰、乐昌、台山、徐闻、怀集、高要、博罗、惠东、阳山、连山、连州及茂名（市区）、

广州（市区）等。

| 资源情况 | 野生资源较少，栽培资源丰富。药材来源于野生和栽培。

| 采收加工 | 夏、秋季采收，晒干。

| 功能主治 | 甘、苦，凉。利水除湿，和血排脓，消肿解毒。清湿热，利尿，消肿。

| 用法用量 | 内服煎汤，20 ~ 30 g。

| 凭证标本号 | 441622200909025LY。

蝶形花科 Papilionacese 豇豆属 *Vigna*

绿豆 *Vigna radiata* (Linn.) Wilczek

| 药材名 | 绿豆（药用部位：种子）。

| 形态特征 | 一年生直立草本。小叶 3；顶生小叶阔卵形，先端渐尖；侧生小叶偏斜，两面疏被长硬毛。总状花序腋生；花冠黄色，旗瓣肾状圆球形，翼瓣具渐狭的爪，龙骨瓣的爪截形；雄蕊 10，2 束；子房无柄，密被长柔毛。荚果长圆柱形；种子长圆球形，绿色，有时黄褐色。花期 6 ~ 7 月，果期 8 月。

| 生境分布 | 栽培种。广东各地均有栽培。

| 资源情况 | 栽培资源丰富。药材来源于栽培。

| 采收加工 | 立秋后种子成熟时采收，晒干。

| 药材性状 | 本品呈长圆形，长 4 ~ 6 mm，表面绿黄色或暗绿色，有光泽。种脐类白色，呈线形凸起，位于一侧上端，长约为种子长度的 1/3。种皮薄韧，剥离后露出淡黄绿色或黄白色种仁。子叶 2，肥厚。质坚实，不易碎。气微，味微甘，嚼后有豆腥味。以身干、个大、粒饱满、色黄绿、无杂质者为佳。

| 功能主治 | 淡，平。清凉解毒，利尿明目。

| 用法用量 | 内服煎汤，15 ~ 30 g；或绞汁。外用适量，研末调敷。

蝶形花科 Papilionacese 豇豆属 *Vigna*

赤小豆 *Vigna umbellata* (Thunb.) Ohwi et Ohashi

| 药 材 名 | 小豆（药用部位：种子。别名：红饭豆、多花菜豆）。

| 形态特征 | 一年生直立草本，很少略呈缠绕状。叶为三出复叶；小叶纸质，披针形或长圆状披针形，先端短尖或渐尖，基部圆或钝。花黄色，2 ~ 4 花排成顶生、具长梗的总状花序；花冠蝶形，龙骨瓣先端内弯，但无旋卷的长喙。荚果线状圆柱形；种子 6 ~ 10，椭圆球形。花期 5 ~ 8 月。

| 生境分布 | 栽培种。广东各地均有栽培或逸为野生。

| 资源情况 | 栽培资源丰富。药材来源于栽培。

| **采收加工** | 秋季果实成熟而未开裂时采收，除去杂质，晒干。

| **药材性状** | 本品呈长圆状球形，稍扁，一端较大，长 5 ~ 8 mm，直径 3 ~ 5 mm，紫红色，微有光泽。种脐偏于一端，线形，白色，约为全长的 2/3，中间为 1 纵沟，背面有一不明显的棱脊。质坚硬，不易破碎，破开种皮可见乳白色子叶 2。无臭，味微甘，以颗粒饱满、色紫红者为佳。

| **功能主治** | 甘、酸，平。清湿热，利尿，排脓消肿。用于水肿，脚气病，肾炎，小便不利，疮疡肿毒。

| **用法用量** | 内服煎汤，9 ~ 60 g。

| **凭证标本号** | 445222191026002LY。

蝶形花科 Papilionacese 豇豆属 *Vigna*

豇豆 *Vigna unguiculata* (Linn.) Walp.

| 药 材 名 | 豆角（药用部位：种子、叶、果实、根）。

| 形态特征 | 一年生缠绕、草质藤本或近直立草本。有时先端缠绕状。羽状复叶具 3 小叶；小叶卵状菱形，先端急尖，全缘或近全缘。总状花序腋生，

具长梗；花冠黄白色而略带青紫，各瓣均具瓣柄，旗瓣扁圆形，先端微凹，基部稍有耳，翼瓣略呈三角形，龙骨瓣稍弯；子房线形。荚果下垂，线状长圆柱形；种子长椭圆球形、圆柱形或稍肾状圆球形。花期 5 ~ 8 月。

| 生境分布 | 栽培种。广东各地均有栽培。

| 资源情况 | 栽培资源丰富。药材来源于栽培。

| 采收加工 | 秋季果实成熟后采收，晒干。

| 功能主治 | 甘、酸，平。健胃利湿，清热解毒，敛汗止血。用于脾胃虚弱，吐泻痢疾，肾虚腰痛，遗精，消渴，带下，白浊，小便频数。

| 用法用量 | 内服煎汤，30 ~ 60 g；或煮食；或研末，6 ~ 9 g。外用适量，捣敷。

蝶形花科 Papilionacese 豇豆属 *Vigna*

短豇豆 *Vigna unguiculata* (Linn.) Walp. subsp. *cylindrica* (Linn.) Verdc.

| 药 材 名 | 饭豇豆（药用部位：种子。别名：眉豆、饭豆）。

| 形态特征 | 本种与豇豆 *Vigna unguiculata* (Linn.) Walp. 的主要区别在于本种为一年生直立草本，高 20 ~ 40 cm。荚果长 10 ~ 16 cm，直立或开展。花期 7 ~ 8 月，果期 9 月。

| 生境分布 | 栽培种。广东各地均有栽培。

| 资源情况 | 栽培资源丰富。药材来源于栽培。

| 采收加工 | 秋季果实成熟后采收，剥取种子，晒干。

| 功能主治 | 甘、酸，平。补中益气，健脾益肾。用于食积腹胀。

蝶形花科 Papilionacese 豇豆属 *Vigna*

野豇豆 *Vigna vexillata* (Linn.) Rich.

| 药 材 名 | 山土瓜（药用部位：全草或根。别名：云南野豇豆、山马豆根）。

| 形态特征 | 多年生攀缘或蔓生草本。根纺锤形，木质。羽状复叶具 3 小叶；小叶膜质，形状变化较大，卵形至披针形，先端急尖或渐尖，基部圆形或楔形，通常全缘。花序腋生，2 ~ 4 花生于花序轴顶部，使花序近伞形；旗瓣黄色、粉红色或紫色，有时在基部内面具黄色或紫红色斑点，翼瓣紫色，龙骨瓣白色或淡紫色，镰状，喙部呈 180° 弯曲，左侧具明显的袋状附属物。荚果直立，线状圆柱形。种子长圆球形或长圆状肾状圆球形。花期 7 ~ 9 月。

| 生境分布 | 生于旷野、灌丛或疏林中。分布于广东仁化、连平、阳山等。

| 资源情况 | 野生资源较少，栽培资源丰富。药材来源于野生和栽培。

| 采收加工 | 夏、秋季采收，晒干。

| 功能主治 | 全草，清热解毒，消肿止痛。根，甘、苦，平。益气，生津，利咽，清热解毒，消肿止痛。用于风火牙痛，喉痛，胃痛，腹胀，便秘，肺结核，痔毒，跌打，关节疼痛，小儿麻疹后余毒不尽。解毒。

| 用法用量 | 内服煎汤，15 ~ 25 g。外用适量，研末撒。

| 凭证标本号 | 441523190920042LY。

蝶形花科 Papilionacese 紫藤属 *Wisteria*

紫藤 *Wisteria sinensis* (Sims) Sweet

| 药 材 名 | 藤萝（药用部位：根、茎皮、花、种子）。

| 形态特征 | 落叶藤本。茎左旋。奇数羽状复叶；小叶 3 ~ 6 对，纸质，卵状椭圆形至卵状披针形，上部小叶较大，基部 1 对最小，先端渐尖至尾尖，基部钝圆或楔形，或歪斜。总状花序发自去年生短枝的腋芽或顶芽；花冠紫色，旗瓣圆形，先端略凹陷，花开后反折，基部有 2 胼胝体，翼瓣长圆形，基部圆，龙骨瓣较翼瓣短，阔镰形。荚果倒披针状圆柱形，有种子 1 ~ 3；种子圆球形。花期 4 ~ 5 月，果期 5 ~ 8 月。

| 生境分布 | 栽培种。广东各地均有栽培。

| 资源情况 | 栽培资源丰富。药材来源于栽培。

宋含章提供

| 采收加工 | 根，全年均可采收，除去泥土，洗净，切片，晒干。茎皮、种子，夏、秋季采收。花，春、夏季采收，晒干。

| 功能主治 | 根，甘，温。祛风除湿，舒筋活络。用于痛风，痹症。茎皮，甘、苦，微温；有小毒。利水，除痹，杀虫。花，解毒，止吐，止泻。种子，甘，微温；有小毒。活血，通络，解毒，驱虫。

| 用法用量 | 内服煎汤，3 ~ 5 g。

| 附　　注 | 种子内含氰化合物，用量过大可导致中毒，虽能治疗蛲虫病，但不宜久服。

宋含章提供

宋含章提供

蝶形花科 Papilionacese 丁癸草属 *Zornia*

丁葵草 *Zornia gibbosa* Spanog.

| 药 材 名 |

人字草（药用部位：全草。别名：乌蝇翼草、老鸦草）。

| 形态特征 |

多年生纤弱多分枝草本。小叶 2，卵状长圆形、倒卵形至披针形，先端急尖而具短尖头，基部偏斜，两面无毛，背面有褐色或黑色腺点。总状花序腋生，花 2 ~ 6（~ 10）疏生于花序轴上；苞片 2，卵形，盾状着生，具缘毛，有明显的纵脉纹 5 ~ 6；花冠黄色，旗瓣有纵脉，翼瓣和龙骨瓣均较小，具瓣柄。荚果有荚节 2 ~ 6，荚节近圆柱形。花期 4 ~ 7 月，果期 7 ~ 9 月。

| 生境分布 |

生于稍干旱的旷地上。分布于广东翁源、南雄、南澳、恩平、廉江、博罗、龙门、陆丰、连平、和平、阳春、新兴及深圳（市区）、阳江（市区）、湛江（市区）、广州（市区）、茂名（市区）等。

| 资源情况 |

野生资源较少，栽培资源丰富。药材来源于野生和栽培。

| 采收加工 | 夏、秋季采收，洗净，鲜用或晒干。

| 药材性状 | 本品长 10 ~ 30 cm。茎丛生，纤细，黄绿色，无毛。小叶 2，生于叶柄先端，“人”字形，小叶片长圆形至披针形，灰绿色，厚纸质，长 0.5 ~ 1 cm，宽 0.2 ~ 0.4 cm，先端有 1 小刺尖，全缘，下面疏被毛或无毛，具黑色腺点；托叶卵状披针形。气微，味淡。以叶多、色绿者为佳。

| 功能主治 | 甘、淡，凉。清热解表，凉血解毒，除湿利尿。用于风热感冒，咽喉肿痛，急性黄疸性肝炎，急性胃肠炎，急性阑尾炎，小儿疳积，急性乳腺炎，眼结膜炎；外用于跌打损伤，痈疖肿毒，毒蛇咬伤。

| 用法用量 | 内服煎汤，15 ~ 30 g。外用适量，鲜品捣敷。

| 凭证标本号 | 440781190826008LY。

旌节花科 Stachyuraceae 旌节花属 *Stachyurus*

中国旌节花 *Stachyurus chinensis* Franch.

| 药 材 名 | 小通草（药用部位：茎髓）。

| 形态特征 | 落叶灌木。高 1.5 ～ 5 m。叶互生；叶柄长 1 ～ 2.5 cm；叶纸质，卵圆形或卵状长圆形，长 6 ～ 15 cm，先端骤尖或尾尖，基部宽楔形或圆形，边缘有疏锯齿；侧脉 5 ～ 6 对。穗状花序长 3 ～ 10 cm，具花 15 ～ 20。果实直径 6 mm，果柄长约 2 mm。花期 3 ～ 4 月，果期 6 ～ 7 月。

| 生境分布 | 生于山谷沟边、谷地、林中或林缘。分布于广东始兴、仁化、翁源、乳源、乐昌、南雄、和平、阳山、连山、连州等。

| 资源情况 | 野生资源较少，栽培资源丰富。药材来源于野生和栽培。

| 采收加工 | 秋季割取茎，截段，趁鲜取出髓部，理直，晒干。

| 药材性状 | 本品呈细圆柱形，长短不一，直径 0.4 ~ 1 cm。银白色或微黄色，表面平坦无纹理。体轻，质松软，可弯曲，捏之变形。断面银白色，有光泽，无空心。水浸后外表及断面均有黏滑感。无气味。

| 功能主治 | 清热，利水，通乳。用于热病烦渴，小便黄赤，尿少或尿闭，急性膀胱炎，肾炎，水肿，小便不利，乳汁不通。

| 用法用量 | 内服煎汤，3 ~ 6 g。

| 凭证标本号 | 441825191002025LY。

旌节花科 Stachyuraceae 旌节花属 *Stachyurus*

西域旌节花 *Stachyurus himalaicus* Hook. f. et Thoms. ex Benth.

| 药 材 名 | 空藤杆（药用部位：茎髓。别名：通条木、喜马山旌节花、短穗旌节花）。

| 形态特征 | 灌木。高 2 ~ 5 m。小枝褐色，有白色皮孔。叶互生，厚纸质或近革质，边缘密生锐尖的小锯齿，齿的尖端常硬化；侧脉 5 ~ 7，在两面凸起；叶柄常为紫色，长达 1.5 cm。花春季开放，黄色，长约 6 mm，排成直立或下垂的穗状花序；总花梗极短或近无；萼片 4，阔卵形，具钝头；花瓣 4，倒卵形。浆果近球形，直径 7 ~ 8 mm，顶部冠以宿存花柱。花期 3 ~ 4 月，果期 5 ~ 8 月。

| 生境分布 | 常生于山坡林中。分布于广东乳源、乐昌、南雄、阳山、连山、连南、连州等。

| 资源情况 | 野生资源较少，栽培资源丰富。药材来源于野生和栽培。

| 采收加工 | 秋季割取茎，截段，趁鲜取出髓部，理直，晒干。

| 药材性状 | 本品呈细圆柱形，长短不齐，通常长 25 ~ 50 cm，直径 0.5 ~ 1 cm，白色或淡黄色。体轻，质松软，略有弹性，易折断，断面平坦，显银白色光泽。水浸后有黏滑感。无臭，无味。以条粗、色白者为佳。

| 功能主治 | 淡，平。利尿催乳，清热安神。用于毒蛇咬伤，骨折。

| 用法用量 | 外用适量，捣敷。

| 凭证标本号 | 441823190314003LY。

喻勋林提供

喻勋林提供

金缕梅科 Hamamelidaceae 蕈树属 *Altingia*

蕈树 *Altingia chinensis* (Champ.) Oliv. ex Hance

| 药 材 名 | 阿丁枫（药用部位：根、枝、叶。别名：山铿枝）。

| 形态特征 | 常绿乔木。高 20 m。胸径达 60 cm。树皮灰色，稍粗糙。叶革质或厚革质，二年生；叶面深绿色，干后稍发亮，背面浅绿色，无毛；侧脉约 7 对；叶柄长约 1 cm。雄花短穗状花序长约 1 cm，常排成圆锥花序；雄蕊多数，花药倒卵形。雌花头状花序单生或成圆锥花序；花 15 ~ 26；苞片 4 ~ 5；花序梗长 2 ~ 4 cm；花柱长 3 ~ 4 mm。头状果序近球形；种子多数，褐色，有光泽。

| 生境分布 | 生于山地常绿阔叶林中。分布于广东增城、曲江、翁源、乳源、新丰、乐昌、信宜、广宁、怀集、封开、德庆、高要、博罗、惠东、龙门、大埔、五华、平远、紫金、龙川、和平、阳春、阳山、连山、连南、

英德、连州、饶平、郁南及深圳（市区）、珠海（市区）、阳江（市区）、惠州（市区）等。

| 资源情况 | 野生资源较少，栽培资源丰富。药材来源于野生和栽培。

| 采收加工 | 夏、秋季采收，晒干。

| 功能主治 | 甘，温。祛风除湿，舒筋活血。用于风湿性关节炎，类风湿性关节炎，腰肌劳损，慢性腰腿痛，半身不遂，跌打损伤，扭挫伤；外用于刀伤出血。

| 用法用量 | 内服煎汤，6 ~ 10 g。

| 凭证标本号 | 441523190920004LY。

金缕梅科 Hamamelidaceae 蕈树属 *Altingia*

细柄蕈树 *Altingia gracilipes* Hemsl.

| 药 材 名 | 细柄阿丁枫（药用部位：树脂。别名：龙泉檀香、细叶枫）。

| 形态特征 | 常绿乔木。高 20 m；叶革质；叶面深绿色；侧脉 5 ~ 6 对；全缘；叶柄长 2 ~ 3 cm；托叶无。雄花头状花序圆球形，宽 5 ~ 6 mm，常多个排成圆锥花序，生于枝顶叶腋内；苞片 4 ~ 5，膜质；雄蕊多数，花药倒卵圆形，红色。雌花头状花序单独或数个排成总状式，有花 5 ~ 6。头状果序倒圆锥形，宽 1.5 ~ 2 cm，有蒴果 5 ~ 6；蒴果不具宿存花柱；种子多数，细小，多角形，褐色。

| 生境分布 | 生于山地常绿林中。分布于广东新丰、梅县、大埔、丰顺、平远、蕉岭、紫金、连平、和平、饶平及云浮（市区）等。

| 资源情况 | 野生资源较少，栽培资源丰富。药材来源于野生和栽培。

| 采收加工 | 夏、秋季采收，晒干。

| 功能主治 | 解毒止痛，止血。用于外伤出血，跌打肿痛。

| 用法用量 | 内服入丸剂，0.3 ~ 1 g。

| 凭证标本号 | 441422190302181LY。

金缕梅科 Hamamelidaceae 蜡瓣花属 *Corylopsis*

蜡瓣花 *Corylopsis sinensis* Hemsl.

| 药 材 名 | 中华蜡瓣花（药用部位：根皮、叶。别名：连核梅、连合子）。

| 形态特征 | 落叶小乔木。叶薄革质；侧脉 7 ~ 8 对；边缘有锯齿，齿尖刺毛状；叶柄长约 1 cm，有星毛。总状花序；花序梗长约 1.5 cm，被毛；苞片卵形，长 5 mm，外面有毛；小苞片长圆形，长 3 mm；萼筒有星状绒毛，萼齿卵形；花瓣匙形；雄蕊比花瓣略短；退化雄蕊 2 裂，先端尖；子房有星毛，花柱长 6 ~ 7 mm，基部有毛。蒴果近圆球形，长 7 ~ 9 mm，被褐色柔毛；种子黑色，长 5 mm。

| 生境分布 | 生于山地、山谷林中。分布于广东乳源、乐昌、连州等。

| 资源情况 | 野生资源较少，栽培资源丰富。药材来源于野生和栽培。

| **采收加工** | 夏、秋季采收，晒干。

| **功能主治** | 甘，平。疏风和胃，宁心安神。用于恶寒发热，呕逆心跳，烦乱昏迷（俗称风蛇落肚症）。

| **用法用量** | 内服煎汤，3 ~ 10 g。

| **凭证标本号** | 441825210313022LY。

金缕梅科 Hamamelidaceae 假蚊母属 *Distyliopsis*

尖叶假蚊母树 *Distyliopsis dunnii* (Hemsley) P. K. Endress

| 药 材 名 | 假蚊母（药用部位：根、叶。别名：尖叶水丝梨）。

| 形态特征 | 常绿灌木或小乔木。嫩枝有鳞垢；老枝秃净，有皮孔，干后灰褐色；顶芽裸露，被鳞垢。叶革质，矩圆形或卵状矩圆形，偶为矩圆状披针形，先端锐尖或渐尖，基部楔形或略钝；上面深绿色，干后发亮，下面初时有鳞垢，不久变秃净；托叶早落。雄花与两性花排成总状花序或穗状花序；苞片矩圆形，有鳞垢；退化子房无。两性花常在总状花序上部，有短柄；萼筒壶形，有鳞垢、萼齿 5 ~ 6，卵形；雄蕊 4 ~ 8；子房有长丝毛，花柱无毛，向外卷。蒴果卵圆形，有灰褐色长丝毛；宿存花柱短，先端渐尖；宿存萼筒长约 4 mm，与蒴果分离，有鳞垢，不规则裂开。种子褐色，发亮，种脐白色。

| 生境分布 | 生于山地常绿林中。分布于广东中部、东部、北部等。

| 资源情况 | 野生资源较少，栽培资源丰富。药材来源于野生和栽培。

| 采收加工 | 全年均可采收。

| 药材性状 | 本品根长圆锥形，大小、长短不一。表面灰褐色。质坚硬，不易折断，断面纤维性。气微，味淡。

| 功能主治 | 酸、甘、苦，凉。养阴润燥，清心除烦。

金缕梅科 Hamamelidaceae 蚊母树属 *Distylium*

杨梅叶蚊母树 *Distylium myricoides Hemsl.*

| 药 材 名 | 亮叶蚊母树（药用部位：根）。

| 形态特征 | 常绿小乔木。嫩枝有鳞垢，老枝秃净，干后暗褐色；芽体裸露，无鳞状苞片，被鳞垢。叶革质，椭圆形或倒卵状椭圆形，长 3 ~ 7 cm，宽 1.5 ~ 3.5 cm，全缘，下面初时有鳞垢，后变秃净，侧脉 5 ~ 6 对；叶柄长 5 ~ 10 mm；托叶细小，早落。总状花序长约 2 cm，花序轴无毛，总苞片 2 ~ 3，卵形，有鳞垢；苞片披针形，长 3 mm；子房有星状绒毛，花柱长 6 ~ 7 mm。蒴果卵圆柱形，长 1 ~ 1.3 cm，外面有褐色星状绒毛，果柄短，长不及 2 mm。

| 生境分布 | 生于亚热带常绿林中。分布于广东从化、仁化、乳源、新丰、乐昌、博罗、龙门、大埔、平远、龙川、连山、英德、连州、饶平等。

| 资源情况 | 野生资源较少，栽培资源丰富。药材来源于野生和栽培。

| 采收加工 | 全年均可采挖，洗净，切段，晒干。

| 药材性状 | 本品呈长圆锥形，大小、长短不一。表面灰褐色。质坚硬，不易折断，断面纤维性。气微，味淡。

| 功能主治 | 辛、微苦，平。利水渗湿，祛风活络。用于手足浮肿，风湿骨节疼痛，跌打损伤。

| 用法用量 | 内服煎汤，6 ~ 12 g。

| 凭证标本号 | 441823200709019LY。

金缕梅科 Hamamelidaceae 蚊母树属 *Distylium*

蚊母树 *Distylium racemosum* Sieb. et Zucc.

| 药 材 名 | 蚊母（药用部位：根、茎皮。别名：米心树、蚊子树）。

| 形态特征 | 常绿灌木或中等乔木。嫩枝有鳞秕，老枝秃净，干后暗褐色；芽体裸露，无鳞状苞片。叶革质，椭圆形或倒卵状椭圆形，长 3 ~ 7 cm，宽 1.5 ~ 3.5 cm，先端钝或略尖，基部阔楔形，上面深绿色，发亮，侧脉 5 ~ 6 对，在下面稍凸起，全缘；叶柄长 5 ~ 10 mm；托叶细小，早落。总状花序长约 2 cm；总苞片 2 ~ 3，卵形，有鳞秕；苞片披针形，长 3 mm；花雌雄同序，雌花位于花序先端，萼筒短，萼齿大小不相等；雄蕊 5 ~ 6，红色；子房有星状绒毛，花柱长 6 ~ 7 mm。蒴果卵圆球形，长 1 ~ 1.3 cm，先端尖，外面有褐色星状绒毛，上半部开裂成 2 片；种子卵圆球形，长 4 ~ 5 mm，深褐色、

发亮，种脐白色。

| 生境分布 | 生于林中。分布于广东中部、北部、东部及沿海岛屿等。广东北部等有栽培。

| 资源情况 | 野生资源较丰富。药材来源于野生和栽培。

| 采收加工 | 全年均可采收。

| 药材性状 | 本品根长圆锥形，大小、长短不一。表面灰褐色。质硬，不易折断，断面纤维性。气微，味淡。

| 功能主治 | 活血祛瘀，抗肿瘤。

| 用法用量 | 内服煎汤，6 ~ 12 g。

| 凭证标本号 | 441523190403031LY。

金缕梅科 Hamamelidaceae 马蹄荷属 *Exbucklandia*

马蹄荷 *Exbucklandia populnea* (R. Br.) R. W. Brown

|药材名| 马蹄荷（药用部位：茎、枝）。

|形态特征| 乔木。高 20 m。小枝被短柔毛，节膨大。叶革质，阔卵圆形，全缘，或嫩叶掌状 3 浅裂，长 10 ~ 17 cm，宽 9 ~ 13 cm，先端尖锐，基部心形，上面深绿色，发亮，掌状脉 5 ~ 7，在下面凸起；叶柄长 3 ~ 6 cm；托叶椭圆形或倒卵形，长 2 ~ 3 cm。头状花序单生或数枝排成总状花序，有花 8 ~ 12；花序梗长 1 ~ 2 cm，被柔毛；花两性或单性；萼齿不明显；花瓣长 2 ~ 3 mm，或缺花瓣；雄蕊长约 5 mm；子房被黄褐色柔毛，花柱长 3 ~ 4 mm。头状果序直径约 2 cm，有 8 ~ 12 蒴果，果序柄长 1.5 ~ 2 cm；蒴果椭圆球形，长 7 ~ 9 mm；种子具窄翅。

| 生境分布 | 生于山地常绿阔叶林或混交林中。分布于广东乳源、兴宁、阳春、连州及阳江（市区）等。

| 资源情况 | 野生资源较少，栽培资源丰富。药材来源于野生和栽培。

| 采收加工 | 全年均可采收。

| 药材性状 | 本品呈圆柱形，粗细不一。表面黄棕色或棕褐色，有纵向皱纹，节稍膨大，小枝有细短的毛茸。质脆，易折断，断面棕黄色。气微，味淡。

| 功能主治 | 酸，温。祛风活络，止痛。用于风湿关节痛，坐骨神经痛。

| 用法用量 | 内服煎汤，10 g。

| 凭证标本号 | 440232160112012LY。

金缕梅科 Hamamelidaceae 马蹄荷属 *Exbucklandia*

大果马蹄荷 *Exbucklandia tonkinensis* (Lec.) Steenis

| 药 材 名 | 大果马蹄荷（药用部位：根）。

| 形态特征 | 大乔木。叶宽卵形，长 8 ~ 13 cm，基部宽楔形，常全缘，稀 3 浅裂，掌状脉 3 ~ 5；叶柄长 3 ~ 5 cm；托叶长圆形，长 2 ~ 4 cm，早落。花无花瓣。果实长 10 ~ 15 mm。

| 生境分布 | 生于林中。分布于广东曲江、翁源、乳源、新丰、乐昌、信宜、怀集、封开、梅县、大埔、五华、平远、和平、阳春、阳山、连山、连南、英德、连州、饶平等。

| 资源情况 | 野生资源较少，栽培资源丰富。药材来源于野生和栽培。

| 采收加工 | 全年均可采收。

| **功能主治** | 辛、甘、苦，平。祛风除湿，活血舒筋，止痛。用于风湿痹痛，腰膝酸痛，偏瘫。

| **用法用量** | 内服煎汤，20 ~ 30 g。

| **凭证标本号** | 441825190926002LY。

金缕梅科 Hamamelidaceae 枫香树属 *Liquidambar*

缺萼枫香 *Liquidambar acalycina* H. T. Chang

| 药 材 名 | 路路通（药用部位：果实）、枫香脂（药用部位：树脂）。

| 形态特征 | 落叶乔木。高达 25 m。树皮黑褐色。小枝无毛，有皮孔，干后黑褐色。叶阔卵形，掌状 3 裂，上下两面均无毛，暗晦无光泽，或幼嫩时基部有柔毛，下面有时稍带灰色；掌状脉 3 ～ 5，在上面很显著，在下面凸起，网脉在上下两面均明显；边缘有锯齿，齿尖有腺状突；叶基部浅心形。多个雄性短穗状花序排成总状花序；花药卵圆形；雌花及果实只有极短萼齿。头状果序疏松易碎，宿存花柱弯曲；种子多数，褐色，有棱。

| 生境分布 | 生于山地常绿阔叶林中。分布于广东乳源、乐昌及深圳（市区）等。

| 资源情况 | 野生资源较少，栽培资源丰富。药材来源于野生和栽培。

| 采收加工 | 冬季至翌年春季采收。

| 药材性状 | **路路通：** 本品为聚花果，由多数小蒴果集合而成，呈球形，直径约 2.5 cm。基部有总果柄。果序干后表面变黑褐色，不具宿存萼齿，或呈鳞片状，极短。小蒴果顶部开裂，呈蜂窝状，疏松易碎，宿存花柱粗而短，稍弯曲，种子多数，褐色，有棱。气微，味淡。

枫香脂： 本品呈不规则块状，淡黄色至黄棕色，半透明或不透明。质脆，断面具光泽。气香，味淡。

| 功能主治 | 辛、苦，平。息风，止痒，止痉。

| 用法用量 | 内服煎汤，15 ~ 30 g；或鲜品捣汁。外用适量，捣敷。

金缕梅科 Hamamelidaceae 枫香树属 *Liquidambar*

枫香 *Liquidambar formosana* Hance

| 药 材 名 |

枫香树（药用部位：根、叶、树脂、果实。别名：路路通、大叶枫、枫子树）。

| 形态特征 |

落叶乔木。高达 30 m。胸径 1.5 m。小枝被柔毛。叶宽卵形，掌状 3 裂，基部心形，具锯齿；托叶线形，早落。多个短穗状雄花序排成总状；雄蕊多数，花丝不等长。头状雌花序具花 24 ~ 43；花序梗长 3 ~ 6 cm；萼齿 4 ~ 7，针形，长 4 ~ 8 mm；子房被柔毛，花柱长 0.6 ~ 1 cm，卷曲。头状果序球形，木质；蒴果下部藏于果序轴内；种子多数，褐色，多角形或具窄翅。

| 生境分布 |

生于山地常绿阔叶林中。分布于广东始兴、仁化、乳源、新丰、乐昌、南海、高州、信宜、怀集、封开、德庆、博罗、龙门、梅县、大埔、丰顺、五华、平远、蕉岭、和平、阳山、连山、连南、英德、连州及深圳（市区）、茂名（市区）、广州（市区）、肇庆（市区）、河源（市区）等。

| 资源情况 | 野生资源较少，栽培资源丰富。药材来源于野生和栽培。

| 采收加工 | 树脂，春、夏季采收。果实，秋季采收。

| 药材性状 | 本品树脂呈不规则块状，淡黄色至黄棕色，半透明或不透明。质脆，断面具光泽。气香，味淡。果实为聚花果，由多数小蒴果集合而成，呈球形，直径 2 ~ 3 cm，基部有总果柄。表面灰棕色或棕褐色，有多数尖刺及喙状小钝刺，长 0.5 ~ 1 mm，常折断，小蒴果顶部开裂成蜂窝状小孔。体轻，质硬，不易破开。气微，味淡。

| 功能主治 | 根，苦，温。祛风止痛。叶，苦，平。祛风除湿，行气止痛。用于痈疽，疔疮，风湿关节痛。树脂，苦、辛，平。解毒生肌，止血止痛。用于跌打损伤，痈疽肿痛，吐血，衄血，外伤出血。果实，苦，平。祛风通络，利水，下乳。用于关节痛，水肿胀满，乳少，经闭。

| 用法用量 | 内服煎汤，5 ~ 10 g。外用适量，煅存性，研末调油敷。

| 凭证标本号 | 441523190516006LY。

金缕梅科 Hamamelidaceae 枫香树属 *Liquidambar*

苏合香树 *Liquidambar orientalis* Mill.

| 药 材 名 | 苏合香（药用部位：树脂）。

| 形态特征 | 乔木。叶片掌状 5 裂，偶为 3 或 7 裂，裂片卵形或长方卵形，先端急尖，基部心形，边缘有锯齿。花小，单性，雌雄同株，多数成圆头状花序，黄绿色。雄花花序呈总状排列；雄花无花被，仅有苞片；雄蕊多数，花药矩圆形，2 室，纵裂，花丝短。雌花花序单生；花梗下垂；花被细小；雄蕊退化；雌蕊多数，基部愈合，子房半下位，2 室，有胚珠数颗，花柱 2，弯曲。果序圆球状，直径约 2.5 cm，聚生多数蒴果，有宿存刺状花柱；蒴果先端喙状，成熟时先端开裂；种子 1 或 2，狭长圆形，扁平，先端有翅。

| 生境分布 | 栽培种。广东雷州半岛及湛江（市区）等有引种栽培。

| 资源情况 | 栽培资源丰富。药材来源于栽培。

| 采收加工 | 初夏将树皮割裂，深达木部，使其分泌香脂，浸润皮部，秋季剥下树皮，榨取香脂，残渣加水煮后再榨，除去杂质和水分。

| 药材性状 | 本品为半流动性的浓稠液体，棕黄色或暗棕色，半透明。质黏稠。气芳香。

| 功能主治 | 辛，温。开窍，辟秽，止痛。用于寒闭神昏，胸腹冷痛、满闷，冻疮等。

| 用法用量 | 内服入丸、散剂，0.3 ~ 1 g。外用适量，溶于乙醇或制成软膏、搽剂涂敷。

| 附　　注 | 本种喜生于湿润肥沃的土壤。

金缕梅科 Hamamelidaceae 檵木属 *Loropetalum*

檵木 *Loropetalum chinense* (R. Br.) Oliv.

| 药 材 名 | 桎木柴（药用部位：根、叶、花。别名：檵花、坚漆檵）。

| 形态特征 | 灌木或小乔木。高 8 m。嫩枝有星毛，老枝秃净；芽体细小，有褐色绒毛。叶革质，卵形，先端尖锐，基部钝，歪斜，全缘或有疏的细锯齿，叶脉羽状。花 4 基数，有白色花瓣，两性花；花序近头状。蒴果卵圆形，先端圆；种子圆卵形，黑色，发亮。

| 生境分布 | 生于向阳的丘陵、山地及马尾松林、杉林林下。分布于广东始兴、仁化、翁源、乳源、新丰、乐昌、南雄、台山、信宜、怀集、封开、德庆、梅县、大埔、丰顺、五华、平远、蕉岭、兴宁、紫金、龙川、连平、和平、阳山、连山、连南、英德、连州、饶平、郁南及云浮（市区）、河源（市区）、深圳（市区）、广州（市区）、珠海（市区）、

清远（市区）等。

|资源情况| 野生资源较少，栽培资源丰富。药材来源于野生和栽培。

|采收加工| 全年均可采收根、叶，清明前后采收花，鲜用或晒干。

|药材性状| 本品叶多皱缩卷曲，完整叶片展平后椭圆形或卵形，先端锐尖，基部稍偏斜，全缘或有疏的细锯齿，上面灰绿色或浅棕褐色，下面色较浅，两面疏被短茸毛；叶柄被棕色茸毛。气微，味涩、微苦。以色绿者为佳。

|功能主治| 根，苦，温。行血祛瘀。用于血瘀经闭，跌打损伤，慢性关节炎；外用于烧伤，外伤出血。叶，苦、涩，平。止血，止泻，止痛，生肌。用于外伤出血，吐血，子宫出血，腹泻。花，甘、涩，平。清热，止血。用于鼻出血、咯血、外伤等多种出血证。

|用法用量| 内服煎汤，15 ~ 30 g。外用适量，鲜品捣敷。

|凭证标本号| 441825210314008LY。

金缕梅科 Hamamelidaceae 壳菜果属 *Mytilaria*

壳菜果 *Mytilaria laosensis* Lec.

| 药 材 名 | 米老排（药用部位：全株。别名：三角枫）。

| 形态特征 | 常绿阔叶乔木。高可达 30 m。叶革质，阔卵圆形，全缘或掌状 3 浅裂，长 10 ～ 13 cm，宽 7 ～ 10 cm，先端短急尖，基部心形，表面榄绿色，有光泽，背面黄绿色或稍带白色，掌状脉 5；叶柄长 8 ～ 10 cm。穗状花序顶生或近顶生，黄色。蒴果椭圆形。花期 4 ～ 6 月。

| 生境分布 | 生于山谷低坡常绿林中。分布于广东信宜、封开、德庆、阳春、郁南及广州（市区）等。

| 资源情况 | 野生资源较少，栽培资源丰富。药材来源于野生和栽培。

| 采收加工 | 全年均可采收，晒干。

| 功能主治 | 淡，平。清热祛风。

| 凭证标本号 | 440281190629005LY。

金缕梅科 Hamamelidaceae 红花荷属 *Rhodoleia*

红花荷 *Rhodoleia championii* Hook. f.

| 药 材 名 | 红苞木（药用部位：叶）。

| 形态特征 | 常绿乔木。叶厚革质，卵形，长 7 ~ 13 cm，宽 4.5 ~ 6.5 cm。花瓣匙形，长 2.5 ~ 3.5 cm，宽 6 ~ 8 mm，红色；雄蕊与花瓣等长，花丝无毛；子房无毛，花柱略短于雄蕊。蒴果 5；种子扁平，黄褐色。

| 生境分布 | 生于常绿阔叶林林中或林缘。分布于广东新会、恩平、信宜、博罗、龙门、阳春、罗定及广州（市区）等。

| 资源情况 | 野生资源较少，栽培资源丰富。药材来源于野生和栽培。

| 采收加工 | 全年均可采收。

| 功能主治 | 辛，温。活血止血。用于刀伤出血等。

| 用法用量 | 外用适量，鲜品捣敷。

| 凭证标本号 | 440781190321005LY。

金缕梅科 Hamamelidaceae 半枫荷属 *Semiliquidambar*

半枫荷 *Semiliquidambar cathayensis* H. T. Chang

| 药 材 名 | 阿丁枫（药用部位：根、茎皮。别名：闽半枫荷、小叶半枫荷）。

| 形态特征 | 常绿乔木。高约 17 m。树皮灰色，稍粗糙；芽体长卵形，略有短柔毛；当年枝干后暗褐色，无毛；老枝灰色，有皮孔；小枝无毛。叶簇生于枝顶，革质，异型，不分裂的叶片卵状椭圆形，先端渐尖，基部阔楔形或近圆形，稍不对称，上面深绿色，发亮，下面浅绿色，无毛；或为掌状 3 裂，边缘有具腺锯齿；掌状脉 3，两侧的较纤细。短穗状雄花序组成总状，雄蕊多数，花丝短；头状雌花序单生，萼齿针形，卷曲，被毛。头状果序，有蒴果 22 ~ 28，宿存萼齿比花柱短。

| 生境分布 | 生于林中或溪旁疏林内。分布于广东乳源、信宜等。

| 资源情况 | 野生资源较少，栽培资源丰富。药材来源于野生和栽培。

| 采收加工 | 全年均可采收。

| 药材性状 | 本品根呈不规则的片块状，宽 3 ~ 6 cm，厚 0.5 ~ 2 cm。栓皮表面灰褐色或红褐色，有纵皱纹及疣状皮孔。质坚硬。断面皮部棕褐色；木部红棕色，具细密纹理。纵断面有纵向纹理及不规则的纵裂隙，具纤维性。气微，味淡、微涩。以片块薄、大小均匀、色红棕者为佳。

| 功能主治 | 甘，温。祛风除湿，舒筋活血。用于风湿性关节炎，类风湿性关节炎，腰肌劳损，慢性腰腿痛，半身不遂，跌打损伤，扭挫伤；外用于刀伤出血。

| 用法用量 | 内服煎汤，15 ~ 30 g。

| 凭证标本号 | 440183210411004LY。

金缕梅科 Hamamelidaceae 半枫荷属 *Semiliquidambar*

细柄半枫荷 *Semiliquidambar chingii* (Metc.) H. T. Chang

| 药 材 名 | 金缕半枫荷（药用部位：根、茎皮。别名：半枫荷）。

| 形态特征 | 常绿乔木。高 25 m。嫩枝有柔毛，干后黑褐色；老枝秃净，有皮孔；芽体干后红褐色，发亮，略有短柔毛。叶聚生于枝顶，薄革质，多型性，叉状 3 裂叶片阔卵形，中央裂片卵形，两侧裂片较短；叉状单裂叶片不对称；不分裂的叶片椭圆形至矩圆形；先端尖锐，基部楔形；上面深绿色，干后发亮，下面无毛；网脉在上下两面均显著；边缘有具腺锯齿；叶柄纤细，长 2 ~ 4.5 cm；托叶线形，早落。头状果序近圆球形，直径 1.5 ~ 2 cm（不计花柱），有多数蒴果，宿存花柱长 4 ~ 6 mm，先端弯曲。

| 生境分布 | 生于砂质土山坡、平原、丘陵地疏林或密林中。分布于广东北部的

英德、乐昌等。

| 资源情况 | 野生资源较少，栽培资源丰富。药材来源于野生和栽培。

| 采收加工 | 全年均可采收。

| 药材性状 | 同“半枫荷”。

| 功能主治 | 同“半枫荷”。

| 用法用量 | 内服煎汤，9 ~ 15 g；或浸酒。

杜仲科 Eucommiaceae 杜仲属 *Eucommia*

杜仲 *Eucommia ulmoides* Oliv.

| 药 材 名 | 扯丝皮（药用部位：树皮。别名：丝棉皮、玉丝皮、川杜仲）。

| 形态特征 | 落叶乔木。高达 20 m。小枝有皮孔。树皮灰色，折断后有弹性银白色胶丝相连。单叶互生，边缘有锯齿，背面叶脉上有疏毛；叶柄长 1 ~ 2 cm。单花腋生，单性，雌雄同株，无花被；雄蕊 6 ~ 10，长约 1 cm，花丝极短，药隔突出；子房有柄，扁平，先端 2 裂，柱头位于裂口内侧，先端反折。翅果长椭圆球形；种子线形，两端圆球形，长约 1.5 cm。花期 3 ~ 4 月，果期 10 ~ 11 月。

| 生境分布 | 生于低山、谷地的疏林中。广东乐昌、乳源等有栽培。

| 资源情况 | 野生资源较少，栽培资源丰富。药材来源于野生和栽培。

| 采收加工 | 春、夏季间采收，相对层层平叠，放置在垫有稻草的平地上，压紧再覆盖稻草，2 ~ 3 天后树皮内表面由白色变紫棕色时取出，晒干。

| 药材性状 | 本品呈板片状，大小、厚薄不一，通常长 30 ~ 80 cm，厚 2 ~ 6 mm。外表面多为黄棕色或灰棕色，厚者常覆有粗皮，较粗糙，常有纵裂沟纹，薄者较光滑，有横裂的灰白色皮孔，且有灰白色的地衣斑块；内表面紫棕色至棕褐色，光滑。质脆，易折断，折断面之间有白色富弹性的胶丝相连，胶丝可拉至长 1 ~ 3 cm 而不断。气微，味稍苦，嚼之有胶状残存物。以皮厚、块大、去净粗皮、折裂面胶丝多而有光泽、内表面暗紫褐色者为佳。

| 功能主治 | 甘、微辛，温。补肝肾，强筋骨，安胎。用于高血压，头晕目眩，腰膝酸痛，筋骨痿软，肾虚尿频，胎漏，胎动不安。

| 用法用量 | 内服煎汤，6 ~ 15 g。

| 凭证标本号 | 440281200710012LY。

黄杨科 Buxaceae 黄杨属 *Buxus*

雀舌黄杨 *Buxus bodinieri* Lévl.

| **药材名** | 细叶黄杨（药用部位：叶）。

| **形态特征** | 灌木。高 3 ~ 4 m。枝圆柱形；小枝四棱形，被短柔毛，后变无毛。叶薄革质，叶面绿色；叶柄长 1 ~ 2 mm。花序腋生，头状，长 5 ~ 6 mm；花密集；花序轴长约 2.5 mm；苞片卵形，背面无毛或有短柔毛。雄花约 10；花梗极短；萼片卵圆形，长约 2.5 mm；雄蕊连花药长 6 mm，不育雌蕊有柱状柄，末端膨大，与萼片近等长。雌花外萼片长约 2 mm，内萼片长约 2.5 mm；子房长 2 mm，无毛，花柱长 1.5 mm，略扁，柱头倒心形。蒴果卵形，长 5 mm，宿存花柱直立，长 3 ~ 4 mm。花期 2 月，果期 5 ~ 8 月。

| **生境分布** | 生于林下。分布于广东仁化、乐昌、台山、信宜、怀集、和平、阳山、

连山、连州及河源（市区）、广州（市区）、珠海（市区）等。

| 资源情况 | 野生资源较少，栽培资源丰富。药材来源于野生和栽培。

| 采收加工 | 夏、秋季采收，鲜用或晒干。

| 药材性状 | 本品为完整或破碎的叶片，倒卵圆形，长 10 ~ 30 mm，全缘，先端稍凹，基部狭楔形。表面深绿色，有光泽，背面主脉明显。革质。气微，味苦。

| 功能主治 | 甘、苦，凉。止咳，止血，清热解毒。用于咳嗽，咯血，疮疡肿毒。

| 用法用量 | 内服煎汤，9 ~ 15 g。外用适量，鲜品捣敷。

黄杨科 Buxaceae 黄杨属 *Buxus*

匙叶黄杨 *Buxus harlandii* Hance

| 药 材 名 |

清明矮（药用部位：叶。别名：千年矮、万年青、黄头艾）。

| 形态特征 |

灌木。枝圆柱形；小枝四棱形，被短柔毛，后变无毛。叶薄革质；叶柄长 1 ～ 2 mm；叶片通常匙形，先端圆或钝，往往有浅凹口或小尖凸头，基部狭长楔形；叶面绿色，光亮，叶背苍灰色，中脉在两面凸出，侧脉极多。头状花序腋生；花密集；花序轴长约 2.5 mm；雄花约 10，萼片卵圆形，不育雌蕊有柱状柄，末端膨大；花柱长 1.5 mm，略扁，柱头倒心形。蒴果卵形，宿存花柱直立。花期 2 月，果期 5 ～ 8 月。

| 生境分布 |

生于山坡、林下。分布于广东仁化、乐昌、信宜、怀集、和平、阳山、连山、连州及河源（市区）、广州（市区）等。

| 资源情况 |

野生资源较少，栽培资源丰富。药材来源于野生和栽培。

| 采收加工 | 全年均可采收，鲜用或晒干。

| 药材性状 | 本品多皱缩，薄革质。完整叶通常匙形，亦有狭卵形或倒卵形，大多数中部以上最宽，长 2 ~ 4 cm，宽 8 ~ 18 mm，先端圆或钝，往往有浅凹口或小尖凸头，基部狭长楔形，有时急尖。叶面绿色，光亮，叶背苍灰色，中脉在两面凸出，侧脉极多，叶面中脉下半段大多数被微细毛。叶柄长 1 ~ 2 mm。质脆。有的可见腋生头状花序，花序轴长约 2.5 mm。气微，味苦。

| 功能主治 | 苦、甘，凉。清热解毒。用于咳嗽，咯血，疮疡肿毒。

| 用法用量 | 内服煎汤，9 ~ 15 g。外用适量，捣敷。

黄杨科 Buxaceae 黄杨属 *Buxus*

大叶黄杨 *Buxus megistophylla* Lévl.

| 药材名 | 万年青（药用部位：根、茎皮、叶、果实）。

| 形态特征 | 常绿灌木或小乔木。高 3 ～ 8 m。小枝近四棱形。单叶对生；叶柄长约 1 m；叶片厚革质，倒卵形，长圆形至长椭圆形，长 3 ～ 6 cm，宽 2 ～ 3 cm，先端钝尖，边缘具细锯齿，基部楔形或近圆形，上面深绿色，下面淡绿色。聚伞花序腋生；总花梗长 2.5 ～ 3.5 cm，1 ～ 2 回二叉分枝，每分歧有花 5 ～ 12；花白绿色，4 基数；花盘肥大。蒴果扁球形，直径约 1 cm，淡红色，具 4 浅沟，果柄四棱形；种子棕色，有橙红色假种皮。花期 6 ～ 7 月，果期 9 ～ 10 月。

| 生境分布 | 生于平地或山坡林下。分布于广东从化、翁源、乳源、广宁、封开、德庆、惠东、阳春、阳山、连山、连南等。

| 资源情况 | 野生资源较少，栽培资源丰富。药材来源于野生和栽培。

| 采收加工 | 茎皮，全年均可采收，切段，晒干。叶，春季采收，晒干。

| 药材性状 | 本品茎皮外表面灰褐色，较粗糙，有点状凸起的皮孔及纵向浅裂纹。内表面淡棕色，较光滑。断面略呈纤维性，有较密的银白色丝状物，拉至长 3 mm 即断。气微，味淡而涩。

| 功能主治 | 根，祛风除湿，行气活血。用于筋骨痛，目赤肿痛，吐血。茎皮，祛风除湿，理气止痛。用于风湿痹痛，腰膝酸软，跌打伤肿，骨折，吐血。叶，用于难产，暑疖。果实，用于中暑，面上生疖。用于疮疡肿毒。

| 用法用量 | 内服煎汤，15 ~ 30 g；或浸酒。

| 凭证标本号 | 441825210313029LY。

黄杨科 Buxaceae 黄杨属 *Buxus*

黄杨 *Buxus sinica* (Rehd. et Wils.) M. Cheng

| 药 材 名 | 瓜子黄杨（药用部位：根、叶。别名：锦熟黄杨、黄杨木）。

| 形态特征 | 灌木或小乔木。枝圆柱形，有纵棱，灰白色；小枝四棱形，全面被短柔毛或外方相对两侧面无毛。叶革质，阔椭圆形、阔倒卵形、卵状椭圆形或长圆形，先端圆或钝，常有小凹口，不尖锐，基部圆形、急尖或楔形，叶面光亮，中脉凸出，下半段常有微细毛，侧脉明显，叶背中脉平坦或稍凸出，中脉上常密被白色短线状钟乳体，全无侧脉；叶柄长 1 ~ 2 mm，上面被毛。花序腋生，头状；花密集；花序轴长 3 ~ 4 mm，被毛，背部多少有毛。雄花约 10，无花梗；外萼片卵状椭圆形，内萼片近圆形；雄蕊连花药长 4 mm，不育雌蕊有棒状柄，末端膨大，高 2 mm 左右（高度约为萼片长度的 2/3 或和萼片

几等长）。雌花萼片长 3 mm；子房较花柱稍长，无毛，花柱粗扁，柱头倒心形，下延达花柱中部。蒴果近球形，长 6 ~ 8（~ 10）mm，宿存花柱长 2 ~ 3 mm。花期 3 月，果期 5 ~ 6 月。

| 生境分布 | 生于山谷、溪边和林下。分布于广东乳源、乐昌、南澳、台山、封开、博罗、惠东、平远及惠州（市区）、深圳（市区）、珠海（市区）、广州（市区）等。

| 资源情况 | 野生资源较少，栽培资源丰富。药材来源于野生和栽培。

| 采收加工 | 全年均可采收。

| 药材性状 | 本品叶完整或破碎，倒卵圆形，长 10 ~ 30 mm，全缘，先端圆或钝，常有小凹口，基部圆形、急尖或狭楔形。表面深绿色，有光泽，背面主脉明显。革质。气微，味苦。

| 功能主治 | 苦、辛，平。祛风除湿，行气活血。用于风湿关节痛，痢疾，胃痛，疝气痛，腹胀，牙痛，跌打损伤，疮疡肿毒。

| 用法用量 | 内服煎汤，9 ~ 15 g；或浸酒。外用适量，鲜品捣敷。

| 凭证标本号 | 440781190713021LY。

黄杨科 Buxaceae 板凳果属 *Pachysandra*

多毛板凳果 *Pachysandra axillaris* Franch. var. *stylosa* (Dunn) M. Cheng

| 药 材 名 | 三角咪（药用部位：全株。别名：多毛富贵草）。

| 形态特征 | 亚灌木。下部匍匐，生须状不定根，上部直立，上半部生叶，下半部裸露，仅有稀疏、脱落性小鳞片。高 30 ~ 50 cm。枝上被极匀细的短柔毛。叶坚纸质，中脉在叶面平坦，在叶背凸出；叶柄长 5 ~ 7 cm，粗壮。花序腋生；花大多数红色；雄花 10 ~ 20，雌花 3 ~ 6，雄花、雌花萼片均长 3 ~ 4 mm。果实成熟时紫红色，球形，长约 1 cm，宿存花柱长 1 ~ 1.5 cm。花期 2 ~ 5 月，果期 9 ~ 10 月。

| 生境分布 | 生于林下潮湿处。分布于广东乳源、和平等。

| 资源情况 | 野生资源较少，栽培资源丰富。药材来源于野生和栽培。

| 采收加工 | 秋季采收，洗净，晒干。

| 药材性状 | 本品茎稍粗壮，被极细毛，下部根茎状，长约 30 cm，长满须状不定根。叶多集生于茎上部，互生，似簇生状；叶片菱状倒卵形，长 4 ～ 10 cm，宽 2.5 ～ 4 cm，上部边缘有牙齿，基部楔形，背面布满疏或密长毛；叶柄长 1 ～ 3 cm。气微，味苦、微辛。

| 功能主治 | 苦、辛，温。祛风除湿，活血止痛。用于跌打损伤，劳伤腰痛，头风头痛。

| 用法用量 | 内服煎汤，3 ～ 9 g。

黄杨科 Buxaceae 野扇花属 *Sarcococca*

长叶柄野扇花 *Sarcococca longipetiolata* M. Cheng

| 药材名 | 链骨连（药用部位：全株。别名：千年青、柑子树）。

| 形态特征 | 灌木。高 1 ~ 3 m。小枝有纵棱。叶革质或薄革质，叶面中脉明显，下方 1 对侧脉较大；叶柄长 10 ~ 15 mm。花序腋生兼顶生，总状或近头状至复总状；苞片卵形；雄花 4 ~ 8，具 2 小苞；小苞阔卵形，长约 2 mm；萼片阔卵形或椭圆形；花丝长 5 mm，花药长 1 mm；雌花 2 ~ 4；小苞卵形。果实球形，直径 8 mm，成熟时棕色、红色或带紫色，宿存花柱 2。花期 9 月至翌年 3 月，果期 12 月。

| 生境分布 | 生于海拔 350 ~ 800 m 的山谷溪边林下。分布于广东始兴、乳源、新丰、乐昌、连平、和平、阳山等。

| 资源情况 | 野生资源较少，栽培资源丰富。药材来源于野生和栽培。

| 采收加工 | 夏、秋季采收。

| 药材性状 | 本品小枝有纵棱。叶片革质或薄革质，完整叶呈披针形、长圆状披针形或狭披针形，长 5 ~ 12 cm，宽 1.5 ~ 2.5 cm，先端长渐尖，基部渐狭或楔形，中脉明显，基部 1 对较大侧脉清晰，其余侧脉不分明；叶柄长 10 ~ 15 mm。质脆。气微，味微苦、涩。

| 功能主治 | 微苦、涩、微辛，寒。凉血散瘀，解毒敛疮。用于黄疸性肝炎，肝痛腹胀，腹痛，胃痛，跌打损伤，风湿关节痛，喉痛，无名肿毒。

| 用法用量 | 内服煎汤，9 ~ 15 g。外用适量，鲜品捣敷。

杨柳科 Salicaceae 香杨梅属 *Myrica*

青杨梅 *Myrica adenophora* Hance

| 药 材 名 | 青梅（药用部位：果实。别名：火梅）。

| 形态特征 | 常绿灌木。高 1 ~ 3 m。小枝细瘦，密被绒毛及金黄色腺体。叶薄革质，叶片椭圆状倒卵形至短楔状倒卵形，先端急尖或钝，中部以上常具少数粗大的尖或钝的锯齿，基部楔形，幼嫩时上面密被金黄色腺体，后腺体脱落而在叶面留下凹点，下面密被不易脱落的腺体，上下两面仅中脉上有短柔毛。雌雄异株。雄花序单生于叶腋，向上倾斜；雄花无小苞片，具 3 ~ 6 雄蕊。雌花序单生于叶腋，直立或向上倾斜，单一穗状或在基部具不显著分枝，分枝极短，具 2 ~ 4 不孕性苞片及 1 ~ 3 雌花；雌花常具 2 小苞片，子房近无。

| 生境分布 | 生于山谷或林中。分布于广东徐闻等。

| **资源情况** | 野生资源较少，栽培资源丰富。药材来源于野生和栽培。

| **采收加工** | 夏季采收。

| **药材性状** | 本品呈青红色。味甘、酸，性平。

| **功能主治** | 祛痰，解酒毒，止吐。用于脾胃不和，食欲不振，口喉燥热，痢疾，烫火伤，跌打损伤，牙痛等。

| **用法用量** | 内服煎汤，6 ~ 9 g；或熬膏，噙咽津液。

杨柳科 Salicaceae 香杨梅属 *Myrica*

毛杨梅 *Myrica esculenta* Buch.-Ham. ex D. Don

| 药 材 名 | 杨梅（药用部位：茎皮、枝皮）。

| 形态特征 | 常绿乔木或小乔木。高可达 10 m。树皮灰色。小枝及芽密被绒毛。叶革质，叶片长椭圆状倒卵形或披针状倒卵形至楔状倒卵形，上面深绿色，下面浅绿色。雌雄异株。雄花序为由许多小穗状花序复合成的圆锥状花序，通常生于叶腋，花序总轴的节间伸长，分枝下的苞片边缘具长缘毛；分枝圆柱形，无柄；雄花花药椭圆形，红色。雌花序单生于叶腋，直立，通常每花序上有数个孕性雌花发育成的果实；子房被短柔毛。核果通常椭圆状，成熟时红色，外果皮肉质。花期 9 ~ 10 月，果期翌年 3 ~ 4 月。

| 生境分布 | 生于稀疏杂木林内或干燥的山坡上。分布于广东大部分地区。

| **资源情况** | 野生资源较少，栽培资源丰富。药材来源于野生和栽培。

| **采收加工** | 全年均可采收，鲜用或晒干。

| **功能主治** | 苦、涩，温。消肿散瘀，止痛，杀虫，收敛。用于泄泻，痢疾，崩漏，胃痛。

| **用法用量** | 内服煎汤，9 ~ 15 g；或浸酒。外用适量，研末撒；或熬膏调敷。

杨柳科 Salicaceae 香杨梅属 *Myrica*

杨梅 *Myrica rubra* Sieb. et Zucc.

| 药 材 名 | 树梅（药用部位：果实、茎皮、树皮、根。别名：珠红）。

| 形态特征 | 常绿乔木。高可达 15 m。叶革质，叶面深绿色；叶柄长 2 ~ 10 mm。花雌雄异株。雄花序单生或数条丛生于叶腋；雄花具 2 ~ 4 卵形小苞片及 4 ~ 6 雄蕊；花药椭圆形。雌花序常单生于叶腋；苞片和雄花的苞片相似，呈覆瓦状排列；雌花常具 4 卵形小苞片；子房卵形；每一雌花序仅上端 1（稀 2）雌花能发育成果实。核果球状；花期 4 月，果期 6 ~ 7 月。

| 生境分布 | 生于山谷疏林内，山坡、村落的灌丛中。广东大部分地区有栽培。

| 资源情况 | 野生资源较少，栽培资源丰富。药材来源于野生和栽培。

| 采收加工 | 夏、秋季采收，晒干。

| 功能主治 | 果实，酸、甘，平。生津止渴，止血生肌。用于痢疾，预防中暑，胃肠胀满，头痛不止等。茎皮、根，苦，温。散瘀止血，止痛。

| 用法用量 | 内服煎汤，15 ~ 30 g。外用适量树皮，研末撒敷；或调油敷。

| 凭证标本号 | 441523190515022LY。

杨柳科 Salicaceae 杨属 *Populus*

响叶杨 *Populus adenopoda* Maxim.

| 药 材 名 | 绵杨（药用部位：根皮、树皮、叶。别名：白杨树）。

| 形态特征 | 乔木。高 15 ~ 30 m。嫩枝棕色，具柔毛。叶互生；长枝上的叶卵形，长 7 ~ 10 cm，宽 5 ~ 10 cm，基部截形或心形，具 2 腺体，先端渐尖，边缘锯齿内弯有腺体，幼时至少在叶背有灰色细毛；短枝上的叶卵形或卵圆形，长 5 ~ 8 cm；叶柄长 1.5 ~ 3（~ 6）cm。花单性，雌雄异株；柔荑花序；雄花序长 6 ~ 12 cm；苞片深裂，边缘有长纤毛；雄蕊 7 ~ 9，花药红色；花盘具梗，杯形。果序长 12 ~ 16 cm；蒴果椭圆形，具短柄。花期 3 月，果期 4 月。

| 生境分布 | 生于阳坡灌丛中、杂木林中，或沿河两旁，有时成小片纯林或与其他树种混交成林。分布于广东乐昌等。

| 资源情况 | 野生资源较少，栽培资源丰富。药材来源于野生和栽培。

| 采收加工 | 冬、春季采收根皮、树皮，夏季采收叶，鲜用或晒干。

| 功能主治 | 苦，平。祛风止痛，活血通络。用于风湿痹痛，四肢不遂，龋齿疼痛，损伤瘀血肿痛。

| 用法用量 | 内服煎汤，9 ~ 15 g；或浸酒。外用适量，煎汤洗；或鲜品捣敷。

杨柳科 Salicaceae 柳属 *Salix*

垂柳 *Salix babylonica* Linn.

| 药 材 名 |

柳树（药用部位：嫩枝。别名：清明柳、吊杨柳、线柳）。

| 形态特征 |

乔木。高可达 18 m。树冠开展疏散。树皮灰黑色，不规则开裂。枝细，下垂，无毛；芽线形，先端急尖。叶狭披针形，长 9 ~ 16 cm，宽 0.5 ~ 1.5 cm，先端长渐尖，基部楔形，边缘具锯齿；叶柄长（3 ~）5 ~ 10 mm，有短柔毛；托叶仅生在萌发枝上。花序先叶或与叶同时开放。雄花序长 1.5 ~ 3 cm，有短梗，花序轴有毛；雄蕊 2，花药红黄色；苞片披针形，外面有毛；腺体 2。雌花序长 2 ~ 5 cm，有梗，基部有 3 ~ 4 小叶，花序轴有毛；子房椭圆形，无柄或近无柄，花柱短，柱头 2 ~ 4 深裂；苞片披针形，外面有毛；腺体 1。蒴果长 3 ~ 4 mm，花期 3 ~ 4 月，果期 4 ~ 5 月。

| 生境分布 |

栽培于水边、池塘边、堤岸上及道旁。广东各地均有栽培。

| 资源情况 | 野生资源较少，栽培资源丰富。药材来源于野生和栽培。

| 采收加工 | 春、秋季采收，砍下嫩枝，除去叶片，截长约 50 cm 的长段，扎把晒干，或趁鲜切斜薄片，晒干。

| 药材性状 | 本品呈圆柱形，分枝少，直径 0.3 ~ 0.8 cm。表面淡褐色或红褐色，有众多短的横向开裂的细纹及皮孔，圆盘状的细枝痕明显可见，残留有未脱尽的灰褐色栓皮。体轻，质硬而脆，断面不平坦，皮部薄，褐色，木部黄白色，占断面的 4/5，髓部小。气微，味淡。以身干、质嫩、断面黄白色者为佳。

| 功能主治 | 苦，寒。清热解毒，祛风利湿。用于风湿痹痛，淋病，白浊，小便不通，病毒性肝炎，风肿，疔疮，丹毒，龋齿，牙龈肿痛。

| 用法用量 | 内服煎汤，15 ~ 30 g。外用适量，煎汤含漱；或煎汤熏洗。

| 凭证标本号 | 441224180830009LY。

桦木科 Betulaceae 桤木属 *Alnus*

江南桤木 *Alnus trabeculosa* Hand.-Mazz.

| 药 材 名 | 水冬瓜（药用部位：茎、叶）。

| 形态特征 | 乔木。高约 10 m。树皮灰色或灰褐色，光滑。枝条暗灰褐色，无毛，小枝黄褐色或褐色；芽有柄，芽鳞 2，光滑。叶柄细，长 2 ~ 3 cm；叶片倒卵形或椭圆形至椭圆状宽卵形，有时长枝上的叶为披针形或椭圆形，长 6 ~ 16 cm，宽 2.5 ~ 7 cm，先端短尾状或骤尖，基部近圆形或近心形，边缘具不规则细疏齿，上面无毛，下面有腺点，脉腋间簇生髯毛；侧脉 6 ~ 13 对。雄花序春季先于叶开放，多个簇生。果序椭圆形，2 ~ 4 排成总状；果序梗长 1 ~ 2 cm；果苞长 5 ~ 7 mm，木质，基部楔形，先端有 5 浅裂片；小坚果宽卵形，长约 3 mm，果翅厚纸质，宽及果实的 1/4；种子扁圆形。

| 生境分布 | 生于山谷、沟边、河岸及村落附近。分布于广东乐昌、南雄、连山、英德等。

| 资源情况 | 野生资源较少，栽培资源丰富。药材来源于野生和栽培。

| 采收加工 | 全年均可采收。

| 功能主治 | 苦，寒。清热解毒。用于湿疹，荨麻疹。

| 用法用量 | 外用适量，煎汤洗。

| 凭证标本号 | 441882190615016LY。

桦木科 Betulaceae 桦木属 *Betula*

华南桦 *Betula austro-sinensis* Chun ex P. C. Li

| 药材名 | 华南桦（药用部位：树皮）。

| 形态特征 | 乔木。高达 25 m。树皮褐色、灰褐色或暗褐色，呈块状开裂。枝条褐色或灰褐色，无毛；小枝黄褐色，初被淡黄色柔毛，后无毛。小坚果狭椭圆形或矩圆状倒卵形，长 4 ~ 5 mm，宽约 2 mm，膜质翅宽为果实的 1/2。

| 生境分布 | 生于山顶或山坡杂木林中。分布于广东乳源、乐昌、阳山等。

| 资源情况 | 野生资源较少，栽培资源丰富。药材来源于野生和栽培。

| 采收加工 | 夏、秋季采收，除去杂质，鲜用或晒干。

| 功能主治 | 利水通淋，清热解毒。用于淋证，水肿，疮毒。

| 用法用量 | 内服煎汤，10 ~ 15 g。外用适量，捣敷。

桦木科 Betulaceae 桦木属 *Betula*

亮叶桦 *Betula luminifera* H. Winkl.

| 药 材 名 | 光皮桦（药用部位：根、茎皮、叶。别名：尖叶桦、大叶榔、花胶树）。

| 形态特征 | 乔木。高可达 20 m。胸径达 80 cm。树皮红褐色或暗黄灰色，坚密，平滑。叶片矩圆形、宽矩圆形、矩圆状披针形，有时为椭圆形或卵形，先端骤尖或呈细尾状，基部圆形，上面仅幼时密被短柔毛，下面密生树脂腺点；叶柄密被短柔毛及腺点，极少无毛。雄花簇生于小枝先端或单生于小枝上部叶腋；苞鳞背面无毛。果序大部单生，长圆柱形，下垂，密被短柔毛及树脂腺体；果苞背面疏被短柔毛，边缘具短纤毛；小坚果倒卵形。

| 生境分布 | 生于海拔 500 ~ 1 500 m 的阳坡疏林中。分布于广东曲江、始兴、乳源、乐昌、英德等。

| 资源情况 | 野生资源较少，栽培资源丰富。药材来源于野生和栽培。

| 采收加工 | 春、夏季采收，鲜用或晒干。

| 功能主治 | 根、叶，甘、微辛，凉。清热利尿，解毒。茎皮，甘、辛，微温。祛湿散寒。消滞和中，解毒。用于水肿；外用于疖毒。

| 用法用量 | 内服煎汤，15 g。外用适量，鲜叶捣敷。

壳斗科 Fagaceae 栗属 *Castanea*

锥栗 *Castanea henryi* (Skan) Rehd. et Wils.

| 药 材 名 | 锥子（药用部位：种子。别名：尖栗、箭栗）。

| 形态特征 | 大乔木。高达 30 m。小枝暗紫褐色。托叶长 8 ~ 14 mm；叶长圆形或披针形，两侧对称；开花期的叶柄长 1 ~ 1.5 cm，结果时延长至 2.5 cm。雄花序长 5 ~ 16 cm，花簇有花 1 ~ 3（~ 5）；每壳斗有雌花 1（偶有 2 或 3），仅 1（稀 2 或 3）花发育结实；花柱无毛，稀在下部有疏毛。成熟壳斗近圆球形，连刺直径 2.5 ~ 4.5 cm，刺密生或稍疏生，长 4 ~ 10 mm；坚果。花期 5 ~ 7 月，果期 9 ~ 10 月。

| 生境分布 | 生于海拔 100 ~ 1 400 m 的丘陵、山地。分布于广东乳源、乐昌、高要及广州（市区）等。

| 资源情况 | 野生资源较少，栽培资源丰富。药材来源于野生和栽培。

| 采收加工 | 秋季采收，晒干。

| 药材性状 | 本品脐部与果实底部几等大。气微，味甘。

| 功能主治 | 甘，平。安神宁心。用于肾虚，痿弱，消瘦。

| 用法用量 | 内服煮食，50 ~ 100 g。

| 凭证标本号 | 441223190125020LY。

壳斗科 Fagaceae 栗属 *Castanea*

板栗 *Castanea mollissima* Bl.

| 药材名 | 栗子（药用部位：种仁、叶、花和花序、总苞、外果皮、内果皮。别名：枫栗、毛栗壳）。

| 形态特征 | 落叶乔木。高 15 ~ 20 m。树皮深纵裂。嫩枝被毛。叶二列，卵状长圆形至椭圆状披针形，长 9 ~ 15 cm，羽状脉；叶柄短。花单性同株；雄柔荑花序直立，细长；雌花集生于枝条上部的雄花序基部。壳斗球形，上有针刺，刺上密被紧贴的柔毛，成熟时开裂而散出坚果；坚果半球形或扁球形，通常 2，暗褐色，直径 2 ~ 3 cm。花期 4 ~ 6 月，果期 8 ~ 10 月。

| 生境分布 | 栽培种。适宜栽培于山地向阳山坡及干燥的砂壤土中。广东北部等有栽培。

| 资源情况 | 野生资源较少，栽培资源丰富。药材来源于野生和栽培。

| 采收加工 | 种仁，总苞由青色转黄色、微裂时采收，放冷凉处散热，搭棚遮阴，棚四周夹墙，地面铺河沙，堆栗高 30 cm，覆盖湿沙，经常洒水保湿。10 月下旬至 11 月入窖贮藏或晒干，剥除种皮。叶，夏、秋季采收，多鲜用。花和花序，春季采收，鲜用或阴干。总苞、外果皮、内果皮，采收种仁时剥取，阴干。

| 药材性状 | 本品种仁呈半球形或扁圆形，先端短尖，直径 2 ~ 3 cm；外表面黄白色，光滑，有时具浅纵沟纹；质实稍重，碎断后内部富粉质。气微，味微甘。叶片薄革质，长圆状披针形或长圆形，长 8 ~ 15 cm，宽 5.5 ~ 7 cm，先端尖尾状，基部楔形或两侧不相等，边缘具疏锯齿，齿端为内弯的刺毛状，上面深绿色，有光泽，羽状侧脉 10 ~ 17 对，中脉有毛，下面淡绿色，有白色绒毛；叶柄短，有长毛和短绒毛。气微，味微涩。花和花序，雄花序穗状，平直，长 9 ~ 20 cm；花被片 6，圆形或倒卵圆形，淡黄褐色；雄蕊 8 ~ 10，花丝长约为花被的 3 倍。雌花无梗，生于雄花序下部，每 2 ~ 3（~ 5）聚生于有刺的总苞内；花被 6 裂；子房下位，花柱 5 ~ 9。气微，味微涩。外果皮，破碎成大小不等的不规则块片，厚约 1 mm；外表面褐色，平滑无毛，内表面淡褐色，平坦；质坚韧，易折断，断面凹凸不平。气微，味微苦、涩。内果皮，破碎成大小不等的块片，厚 1 ~ 1.5 mm；外表面棕色，粗糙，内表面常与膜质的种皮粘连，淡棕色，平滑；质脆，易碎。气微，味微涩。

| 功能主治 | 种仁，益气健脾，补肾强筋，活血消肿，止血。用于脾虚泄泻，反胃呕吐，脚膝酸软，筋骨折伤肿痛，瘰疬，吐血，衄血，便血。叶，清肺止咳，解毒消肿。用于百日咳，肺结核，咽喉肿痛，肿毒，漆疮。花，清热燥湿，止血，散结。用于泄泻，痢疾，带下，便血，瘰疬，瘿瘤。总苞，降逆生津，化痰止咳，清热散结，止血。用于反胃，呕哕，消渴，咳嗽痰多，百日咳，腮腺炎，瘰疬，衄血，便血。内果皮，散结下气，养颜。用于骨鲠，瘰疬，反胃，面有皱纹。

| 用法用量 | 内服煎汤，30 ~ 60 g。

| 凭证标本号 | 445224210909001LY。

壳斗科 Fagaceae 栗属 *Castanea*

茅栗 *Castanea seguinii* Dode

| 药材名 | 野栗子（药用部位：叶、根、种仁。别名：毛栗）。

| 形态特征 | 小乔木或灌木状。小枝暗褐色。托叶细长，长 7 ~ 15 mm，开花时仍未脱落；叶倒卵状椭圆形或长圆形，顶部渐尖，基部楔尖（嫩叶）至圆形或耳垂状（成长叶），基部对称至一侧偏斜，叶背有黄色或灰白色鳞腺，幼嫩时沿叶背脉两侧有疏单毛；叶柄长 5 ~ 15 mm。雄花序长 5 ~ 12 cm，雄花簇有花 3 ~ 5；雌花单生或生于混合花序的花序轴下部，每壳斗有雌花 3 ~ 5，通常 1 ~ 3 雌花发育结实，花柱 9 或 6，无毛。壳斗外壁密生锐刺，成熟壳斗连刺直径 3 ~ 5 cm，宽略过于高，刺长 6 ~ 10 mm；坚果长 15 ~ 20 mm，宽 20 ~ 25 mm，无毛或顶部有疏伏毛。花期 5 ~ 7 月，果期 9 ~ 11 月。

| 生境分布 | 生于海拔 400 ～ 1 200 m 的丘陵山地或灌丛中。分布于广东乐昌、阳山等。

| 资源情况 | 野生资源较少，栽培资源丰富。药材来源于野生和栽培。

| 采收加工 | 叶，夏、秋季采摘，鲜用或晒干。根，全年均可采收，晒干。种仁，总苞由青转黄、微裂时剥出种子，晒干，剥除种皮。

| 药材性状 | 本品种仁扁球形，直径 0.8 ～ 1.3 cm，黄白色，粉质。气微，味微甘。

| 功能主治 | 苦，寒。清热解毒，消食。用于肾虚腰膝无力，小儿脚弱无力，气管炎，筋骨肿痛，小儿疳疮，金刃斧伤。

| 用法用量 | 内服煎汤，15 ～ 30 g。

壳斗科 Fagaceae 锥属 *Castanopsis*

米槠 *Castanopsis carlesii* (Hemsl.) Hayata

| 药 材 名 | 米锥（药用部位：果实或种仁。别名：白栲、石槠、小叶槠）。

| 形态特征 | 乔木。高可达 20 m。芽小。叶披针形，全缘，或兼有少数浅裂齿，嫩叶叶背有红褐色或棕黄色稍紧贴的细片状蜡鳞层，成长叶呈银灰色或多少带灰白色。雄圆锥花序近顶生，花序轴无毛或近无毛。果序无毛，壳斗近圆球形或阔卵形；坚果近圆球形或阔圆锥形，熟透时无毛，果脐位于坚果底部。3 ~ 6 月开花，翌年 9 ~ 11 月结果成熟。

| 生境分布 | 生于山地、丘陵常绿或落叶阔叶混交林中。分布于广东翁源、乳源、乐昌、南雄、廉江、高州、信宜、怀集、封开、龙门、大埔、丰顺、和平、阳春、阳山、连山、连南、英德及河源（市区）、阳江（市区）、

陈世品提供

肇庆（市区）、广州（市区）等。

| 资源情况 | 野生资源较少，栽培资源丰富。药材来源于野生和栽培。

| 采收加工 | 种仁，秋季采收成熟果实，晒干后剥取种仁。

| 药材性状 | 本品果实近圆球形或阔圆锥形，先端短狭尖，顶部近花柱四周及近基部被疏伏毛，熟透时变无毛，果脐位于坚果底部。

| 功能主治 | 种仁，用于痢疾。

| 凭证标本号 | 440882180331019LY。

陈世品提供

陈世品提供

壳斗科 Fagaceae 锥属 *Castanopsis*

锥 *Castanopsis chinensis* Hance

| 药 材 名 | 中华锥（药用部位：叶、壳斗、种子。别名：山锥、桂林栲、米锥栗）。

| 形态特征 | 乔木。高 10 ~ 20 m。胸径 20 ~ 60 cm。树皮纵裂，呈片状脱落。叶厚纸质或近革质，网状叶脉明显，两面同色；叶柄长 1.5 ~ 2 cm。雄穗状花序或圆锥花序花序轴无毛；花被裂片内面被短柔毛。雌花序生于当年生枝的顶部；每壳斗有 1 雌花，花柱 3 或 4，有时 2。果序长 8 ~ 15 cm；壳斗圆球形，常整齐地开裂为 3 ~ 5 瓣；坚果圆锥形。花期 5 ~ 7 月，果实翌年 9 ~ 11 月成熟。

| 生境分布 | 生于海拔 1 300 m 以下的山地林中。分布于广东乐昌、遂溪、雷州、博罗、海丰、阳春、英德、罗定及清远（市区）、茂名（市区）、肇庆（市区）、广州（市区）、河源（市区）、云浮（市区）等。

| 资源情况 | 野生资源较少，栽培资源丰富。药材来源于野生和栽培。

| 采收加工 | 秋季采收，晒干。

| 功能主治 | 叶、壳斗，苦、涩，平。健胃补肾，除湿热。用于湿热腹泻。种子，甘，平。健脾补肾。用于肾虚，痿弱，消瘦。

| 用法用量 | 叶、壳斗，内服煎汤，15 ~ 30 g。种子，内服炒食；或与猪瘦肉同煮食。

| 凭证标本号 | 440783201004004LY。

壳斗科 Fagaceae 锥属 *Castanopsis*

甜槠 *Castanopsis eyrei* (Champ. ex Benth.) Tutch.

| 药 材 名 | 甜槠（药用部位：种子）。

| 形态特征 | 乔木。高达 20 m。胸径 50 cm。小枝有皮孔甚多。枝、叶均无毛。叶革质，侧脉每边 8 ~ 11；叶柄长 7 ~ 10 mm，稀更长。雄花序穗状或为圆锥花序，花序轴无毛，花被片内面被疏柔毛；雌花花柱 3 或 2。壳斗有 1 坚果，阔卵形，顶部狭尖或钝，刺长 6 ~ 10 mm，顶部的刺密集而较短；坚果阔圆锥形，顶部锥尖，宽 10 ~ 14 mm，无毛，果脐位于坚果底部。花期 4 ~ 6 月，果实翌年 9 ~ 11 月成熟。

| 生境分布 | 生于海拔 300 m 以上的丘陵或山地疏、密林中。分布于广东增城、始兴、仁化、翁源、乳源、新丰、乐昌、南雄、怀集、封开、德庆、高要、博罗、龙门、梅县、大埔、丰顺、五华、平远、蕉岭、兴宁、

和平、阳春、阳山、连山、连南、英德、连州及深圳（市区）等。

| 资源情况 | 野生资源较少，栽培资源丰富。药材来源于野生和栽培。

| 采收加工 | 秋季采收，晒干。

| 功能主治 | 苦，平。理气止痛，止泄。

| 用法用量 | 内服煎汤，9 ~ 15 g。

| 凭证标本号 | 440281190627016LY。

壳斗科 Fagaceae 锥属 *Castanopsis*

栲 *Castanopsis fargesii* Franch.

| 药 材 名 | 红叶栲（药用部位：总苞、种仁。别名：红背槠、火烧柯、绥江锥）。

| 形态特征 | 常绿乔木。高 25 ~ 30 m。胸径可达 1 m。幼枝有锈褐色绒毛和鳞秕；老枝无毛。叶革质，椭圆状披针形、披针形或矩圆形，长 6 ~ 13 cm，宽 2 ~ 3.5 cm，全缘或先端疏生数个浅锯齿，下面密生红棕色鳞秕和短绒毛。雄花序穗状；雌花单生于总苞内。壳斗全包坚果，外面密被鹿角状分枝刺；坚果宽卵形，直径约 1 cm。4 ~ 5 月开花，果期翌年 10 ~ 11 月。

| 生境分布 | 生于坡地或山脊杂木林中。分布于广东西部、中部至北部等。

| 资源情况 | 野生资源较少，栽培资源丰富。药材来源于野生和栽培。

| 采收加工 | 秋、冬季采收。

| 功能主治 | 清热，消炎，消肿止痛，止泻。

| 用法用量 | 内服煎汤，15 ~ 30 g。

| 凭证标本号 | 441825190411002LY。

壳斗科 Fagaceae 锥属 *Castanopsis*

红锥 *Castanopsis hystrix* A. DC.

| 药 材 名 | 锥栗（药用部位：种子。别名：刺锥栗、红锥栗、锥丝栗）。

| 形态特征 | 乔木。高达 25 m。叶纸质或薄革质；叶柄稀长达 1 cm。雄花序为圆锥花序或穗状花序。雌穗状花序单穗位于雄花序上部叶腋间；花柱 3 或 2，斜展，长 1 ~ 1.5 mm，常被甚稀少的微柔毛，柱头位于花柱先端。果序长达 15 cm；壳斗有 1 坚果，稀较小或更大，整齐地开裂为 4 瓣，刺长 6 ~ 10 mm；坚果宽圆锥形，高 10 ~ 15 mm，横径 8 ~ 13 mm，无毛。花期 4 ~ 6 月，果实翌年 8 ~ 11 月成熟。

| 生境分布 | 生于缓坡及山地常绿阔叶林中。分布于广东从化、仁化、乳源、新丰、信宜、博罗、惠东、梅县、大埔、连平、连山、罗定及肇庆（市区）、清远（市区）、云浮（市区）等。

| 资源情况 | 野生资源较少，栽培资源丰富。药材来源于野生和栽培。

| 采收加工 | 秋季采收，晒干。

| 功能主治 | 甘，微温。滋养强壮，健胃消食。用于食欲不振，脾虚泄泻。

| 用法用量 | 内服煎汤，9 ~ 15 g。

| 凭证标本号 | 441523190918001LY。

壳斗科 Fagaceae 锥属 *Castanopsis*

苦槠 *Castanopsis sclerophylla* (Lindl.) Schott.

| 药材名 | 结节锥栗（药用部位：种仁。别名：槠栗、苦槠锥、血槠）。

| 形态特征 | 乔木。树皮浅纵裂，呈片状剥落。小枝灰色，散生皮孔，当年生枝红褐色，略具棱。枝、叶均无毛。叶二列，叶片革质，顶部渐尖或骤狭急尖，短尾状，基部近圆形或宽楔形，通常一侧略短且偏斜，叶缘中部以上有锯齿状锐齿，很少兼有全缘叶，成长叶叶背淡银灰色。花序轴无毛，雄穗状花序通常单穗腋生。果序长 8 ~ 15 cm；壳斗有 1 坚果，偶有 2 ~ 3，圆球形或半圆球形，全包或包着坚果的大部分，壳壁小苞片鳞片状，大部分退化并横向连生成脊肋状圆环，或仅基部连生，呈环带状凸起，外壁被黄棕色微柔毛；坚果近圆球形，顶部短尖，被短伏毛，果脐位于坚果的底部，子叶平凸，

有涩味。花期 4 ~ 5 月，果实 10 ~ 11 月成熟。

| 生境分布 | 生于密林中。分布于广东仁化、乳源、乐昌、阳山、连山及广州（市区）等。

| 资源情况 | 野生资源较少，栽培资源丰富。药材来源于野生和栽培。

| 采收加工 | 秋季果实成熟时采收，晒干后剥取。

| 药材性状 | 本品圆褐而有尖，大如菩提子。味苦、涩。

| 功能主治 | 甘、苦、涩，平。涩肠止泻，生津止渴。

| 用法用量 | 内服煎汤，10 ~ 15 g。

| 凭证标本号 | 440281190816005LY。

壳斗科 Fagaceae 锥属 *Castanopsis*

钩锥 *Castanopsis tibetana* Hance

| 药 材 名 |

大叶钩栗（药用部位：果实。别名：大叶锥栗、大叶槠、巴栗）。

| 形态特征 |

乔木。树皮灰褐色，粗糙。小枝干后黑色或黑褐色。枝、叶均无毛。新生嫩叶暗紫褐色，成长叶革质，叶缘至少近顶部有锯齿状锐齿，叶背红褐色（新生叶）、淡棕灰色或银灰色（老叶）。雄穗状花序或圆锥花序，花序轴无毛；雄蕊通常 10；花被裂片内面被疏短毛。壳斗有坚果 1，圆球形，壳壁厚 3 ~ 4 mm，刺长 15 ~ 25 mm，通常在基部合生成刺束，将壳壁完全遮蔽，刺几无毛或被稀疏微柔毛；坚果扁圆锥形，被毛，果脐约占坚果面积的 1/4。花期 4 ~ 5 月，果实翌年 8 ~ 10 月成熟。

| 生境分布 |

生于山地杂木林中较湿润处或平地路旁。分布于广东乐昌、信宜、五华、连山、英德及河源（市区）、广州（市区）等。

| 资源情况 |

野生资源较少，栽培资源丰富。药材来源于

野生和栽培。

| **采收加工** | 8 ~ 10 月果实成熟时采收，去壳，研末。

| **药材性状** | 本品呈扁圆锥形。

| **功能主治** | 甘，平，敛肠，止痢。用于痢疾。

| **用法用量** | 内服研末冲，15 ~ 30 g。

| **凭证标本号** | 441421181126629LY。

壳斗科 Fagaceae 青冈属 *Cyclobalanopsis*

饭甑青冈 *Cyclobalanopsis fleuryi* (Hick. et A. Camus) Chun

| 药 材 名 | 饭甑椆（药用部位：成熟果实）。

| 形态特征 | 乔木。幼枝被褐色长绒毛，后毛渐脱落。叶长椭圆形或卵状长圆形，长 14 ~ 27 cm，宽 4 ~ 9 cm，先端短尖或短渐尖，基部楔形，全缘或近顶部具波状浅齿，幼叶密被黄褐色绒毛，老叶近无毛，上面中脉微凸起，侧脉 10 ~ 12（~ 15）对；叶柄长 2 ~ 6 cm。花序轴密被绒毛。壳斗筒状钟形，高 3 ~ 4 cm，直径 2.5 ~ 4 cm，内外壁均密被绒毛；小苞片连成 10 ~ 13 环带，环带近全缘；果实长椭圆形，长 3 ~ 4.5 cm，直径 2 ~ 3 cm，密被黄褐色绒毛。

| 生境分布 | 生于海拔较高的山坡或沟谷林中。分布于广东增城、曲江、仁化、翁源、新丰、乐昌、台山、信宜、怀集、封开、博罗、龙门、五华、

阳春、阳山、连山、连南、饶平及茂名（市区）、阳江（市区）等。

| 资源情况 | 野生资源较少，栽培资源丰富。药材来源于野生和栽培。

| 采收加工 | 冬季采摘。

| 功能主治 | 甘、微苦，凉。清热解毒，收敛肺气，止咳。

| 用法用量 | 内服煎汤，30 ~ 60 g。外用适量，鲜品捣敷。

壳斗科 Fagaceae 青冈属 *Cyclobalanopsis*

青冈 *Cyclobalanopsis glauca* (Thunb.) Oerst.

| 药 材 名 | 青冈栎（药用部位：种子。别名：铁椆）。

| 形态特征 | 乔木。高达 20 m。胸径 1 m。小枝无毛。叶倒卵状椭圆形或长椭圆形，长 6 ~ 13 cm，先端短尾尖或渐尖，基部宽楔形或近圆形，中部以上具锯齿，上面无毛，下面被平伏单毛或近无毛，常被灰白色粉霜，侧脉 9 ~ 13 对；叶柄长 1 ~ 3 cm。壳斗碗状，高 6 ~ 8 mm，直径 0.9 ~ 1.4 cm，疏被毛，具 5 ~ 6 环带；果实长卵圆形或椭圆形，长 1 ~ 1.6 cm，直径 0.9 ~ 1.4 cm，近无毛。

| 生境分布 | 生于山坡或沟谷，组成常绿阔叶林或常绿阔叶与落叶阔叶混交林。分布于广东西部、中部至北部等。

| 资源情况 | 野生资源较少，栽培资源丰富。药材来源于野生和栽培。

| 采收加工 | 秋、冬季采收。

| 功能主治 | 甘、苦、涩，平。涩肠止泻，生津止渴。

| 用法用量 | 内服煎汤，9 ~ 15 g。肠燥便秘者禁用。

| 凭证标本号 | 440281200713011LY。

壳斗科 Fagaceae 青冈属 *Cyclobalanopsis*

杨梅叶青冈 *Cyclobalanopsis myrsinaefolia* (Bl.) Oerst.

| 药 材 名 | 小叶青冈（药用部位：种仁。别名：青栲、青椆）。

| 形态特征 | 常绿乔木。高达 15 m。树皮灰褐色。小枝幼时被绒毛，后毛渐脱落。叶片长卵形至卵状披针形，长 4.5 ~ 9 cm，宽 1.5 ~ 3 cm，先端渐尖至尾尖，基部楔形或近圆形，叶缘 1/3 以上有细尖锯齿，侧脉每边 7 ~ 13，纤细，不甚明显，尤其近叶缘处更不明显，叶背支脉极不明显，叶面亮绿色，叶背灰白色，有贴伏单毛；叶柄长 1 ~ 1.5 cm。坚果椭圆形，直径约 1 cm，高 1.5 ~ 2 cm，有短柱座，先端被毛，果脐微凸起。

| 生境分布 | 生于山地杂木林中。分布于广东东部至北部等。

| **资源情况** | 野生资源较少，栽培资源一般。药材来源于野生和栽培。

| **采收加工** | 全年均可采收，晒干。

| **功能主治** | 辛、苦，凉。涩肠，止渴。

| **用法用量** | 内服煎汤，5 ~ 15 g。

壳斗科 Fagaceae 柯属 *Lithocarpus*

柯 *Lithocarpus glaber* (Thunb.) Nakai

| 药 材 名 |

稠木（药用部位：茎皮。别名：石栎、椆、珠子栎）。

| 形态特征 |

乔木。一年生枝、嫩叶叶柄、叶背及花序轴均密被灰黄色短绒毛，二年生枝的毛较疏且短，常变为污黑色。叶革质或厚纸质，成长叶背面无毛或几无毛，有较厚的蜡鳞层。雄穗状花序多排成圆锥花序或单穗腋生，常着生少数雄花。果序轴通常被短柔毛；壳斗碟状或浅碗状，通常为上宽下窄的倒三角形，先端边缘甚薄，向下甚增厚，硬木质；小苞片三角形，甚细小，紧贴，覆瓦状排列或连生成圆环，密被灰色微柔毛；坚果椭圆形，先端尖，或长卵形，有淡薄的白色粉霜，暗栗褐色。花期 7 ~ 11 月，果实翌年同期成熟。

| 生境分布 |

生于坡地杂木林中，阳坡较为常见。分布于广东曲江、始兴、仁化、翁源、乳源、新丰、乐昌、南雄、澄海、廉江、高州、鼎湖、封开、德庆、博罗、惠东、梅县、大埔、丰顺、五华、平远、蕉岭、兴宁、海丰、龙川、连平、和平、阳山、英德、连州、饶平及深圳

（市区）、广州（市区）、河源（市区）、清远（市区）、东莞等。

| 资源情况 | 野生资源较少，栽培资源丰富。药材来源于野生和栽培。

| 采收加工 | 全年均可采收，鲜用或晒干。

| 功能主治 | 辛，平；有小毒。行气，利水。用于腹水肿胀。

| 用法用量 | 内服煎汤，15 ~ 30 g。

| 凭证标本号 | 441523190515021LY。

壳斗科 Fagaceae 柯属 *Lithocarpus*

木姜叶柯 *Lithocarpus litseifolius* (Hance) Chun

| 药材名 | 多穗稠（药用部位：嫩叶。别名：甜茶、甜叶子树）。

| 形态特征 | 乔木。枝、叶无毛。有时小枝、叶柄及叶面干后有淡薄的白色粉霜。叶纸质至近革质，两面同色或叶背带苍灰色，有紧实鳞秕层，中脉及侧脉干后红褐色或棕黄色。雄穗状花序多穗排成圆锥花序，少有单穗腋生，花序轴常被稀疏短毛。果序长达 30 cm，果序轴纤细，直径很少超过 5 mm；壳斗浅碟状或上宽下窄的短漏斗状，顶部边缘通常平展，甚薄，无毛，向下明显增厚呈硬木质；小苞片三角形，紧贴，呈覆瓦状排列，或基部的连生成圆环；坚果为先端锥尖的宽圆锥形或近圆球形，很少为顶部平缓的扁圆形，栗褐色或红褐色，无毛，常有淡薄的白粉，果脐深达 4 mm。花期 5 ~ 9 月，果实翌年

6 ~ 10 月成熟。

| 生境分布 | 生于山地常绿林中。分布于广东从化、曲江、始兴、仁化、翁源、乳源、乐昌、新会、台山、电白、信宜、广宁、封开、高要、博罗、惠东、龙门、梅县、大埔、丰顺、五华、平远、蕉岭、海丰、紫金、和平、阳春、阳山、连山、英德、连州、饶平、郁南、罗定及深圳（市区）、清远（市区）、云浮（市区）、惠州（市区）、阳江（市区）等。

| 资源情况 | 野生资源较少，栽培资源丰富。药材来源于野生和栽培。

| 采收加工 | 4 月上旬至 5 月中旬采收。

| 功能主治 | 滋补肝肾，祛风湿，止痹痛。

| 用法用量 | 内服煎汤，10 ~ 15 g。外用适量，捣敷；或煎汤洗。

| 凭证标本号 | 441523190919027LY。

壳斗科 Fagaceae 栎属 *Quercus*

麻栎 *Quercus acutissima* Carruth.

| 药 材 名 | 橡实（药用部位：叶、树皮、茎皮、果实、壳斗。别名：青冈、栎、橡椀树）。

| 形态特征 | 落叶乔木。树皮深灰褐色，深纵裂。幼枝被灰黄色柔毛，后毛渐脱落，老枝灰黄色，具淡黄色皮孔；冬芽圆锥形，被柔毛。叶片形态多样，通常为长椭圆状披针形，叶缘有刺芒状锯齿，叶片两面同色。雄花序常数个集生于当年生枝下部叶腋，有花 1 ~ 3；花柱 3。壳斗杯形，包着坚果约 1/2，连小苞片直径 2 ~ 4 cm，高约 1.5 cm；小苞片钻形或扁条形，向外反曲，被灰白色绒毛；坚果卵形或椭圆形，先端圆形，果脐凸起。花期 3 ~ 4 月，果期翌年 9 ~ 10 月。

| 生境分布 | 常生于山坡。分布于广东乳源、南雄、封开、龙门、英德及广州（市

区）等。

| 资源情况 | 野生资源较少，栽培资源丰富。药材来源于野生和栽培。

| 采收加工 | 叶，夏季采摘。树皮、茎皮，全年均可采收。果实，秋季采摘。

| 功能主治 | 树皮、茎皮，苦、涩，平。解毒利湿，涩肠止泻。果实，苦、涩，微温。收敛固涩，止血，解毒。壳斗，涩、温。涩肠止泻，止带，止血，敛疮。

| 用法用量 | 叶、树皮、果实，内服煎汤，5 ~ 15 g。

壳斗科 Fagaceae 栎属 *Quercus*

白栎 *Quercus fabri* Hance

| 药 材 名 | 白栎蔀（药用部位：带虫瘿的总苞、根。别名：栗子树、白紫蒲树、栎子）。

| 形态特征 | 落叶乔木或灌木状。高达 20 m。树皮灰褐色，深纵裂。小枝密生灰色至灰褐色绒毛；冬芽卵状圆锥形，芽鳞多数，被疏毛。叶片倒卵形或椭圆状倒卵形，幼时两面被灰黄色星状毛；叶柄被棕黄色绒毛。雄花序轴被绒毛。壳斗杯形，包着坚果约 1/3；小苞片卵状披针形，排列紧密，在口缘处稍伸出；坚果长椭圆形或卵状长椭圆形，无毛，果脐凸起。花期 4 月，果期 10 月。

| 生境分布 | 生于丘陵山地林中。分布于广东乳源、乐昌、阳山、连州及茂名（市区）等。

| **资源情况** | 野生资源较少，栽培资源丰富。药材来源于野生和栽培。

| **采收加工** | 带虫瘿的总苞，秋季采收，晒干。根，全年均可采收，鲜用或晒干。

| **功能主治** | 苦、涩，平。健脾消积，理气，清火，明目。带虫瘿的总苞，消疳去积。用于疝气。根，降火。用于火眼赤痛。

| **用法用量** | 内服煎汤，15 ~ 21 g。外用适量，煅炭研末敷。

| **凭证标本号** | 441882190417006LY。

壳斗科 Fagaceae 栎属 *Quercus*

栓皮栎 *Quercus variabilis* Bl.

|药 材 名| 青杠碗（药用部位：果实、壳斗。别名：软木栎、粗皮栎、白麻栎）。

|形态特征| 落叶乔木。树皮黑褐色，深纵裂，木栓层发达。小枝灰棕色，无毛；芽圆锥形，芽鳞褐色，具缘毛。叶片卵状披针形或长椭圆形，叶背密被灰白色星状绒毛。雄花序轴密被褐色绒毛，花被 4 ~ 6 裂，雄蕊 10 或较多；雌花序生于新枝上端叶腋，花柱 3。壳斗杯形，包着坚果 2/3；小苞片钻形，反曲，被短毛；坚果近球形或宽卵形，先端圆，果脐凸起。花期 3 ~ 4 月，果期翌年 9 ~ 10 月。

|生境分布| 生于山坡。分布于广东乳源、乐昌、南雄、阳山、连山、连州等。

|资源情况| 野生资源较少，栽培资源丰富。药材来源于野生和栽培。

| 采收加工 | 果实，秋、冬季采收。

| 药材性状 | 本品果实近球形或宽卵形，先端圆，果脐凸起。

| 功能主治 | 苦、涩，平。止咳，止泻，止血，解毒。用于咳嗽，久泻，久痢，痔漏出血，头癣。

| 用法用量 | 内服煎汤，10 ~ 15 g。外用适量，研末调敷。

| 凭证标本号 | 440281190813030LY。

木麻黄科 Casuarinaceae 木麻黄属 *Casuarina*

木麻黄 *Casuarina equisetifolia* Forst.

| 药 材 名 | 木麻黄（药用部位：幼嫩枝叶、树皮。别名：马尾松）。

| 形态特征 | 乔木。大树根部无萌蘖。树干通直。树冠狭长圆锥形。幼树树皮赭红色，较薄，皮孔密集排列为条状或块状，老树树皮粗糙，深褐色，不规则纵裂，内皮深红色。枝红褐色，有密集的节；最末次分出的小枝灰绿色。花雌雄同株或异株。雄花序几无总花梗，棒状圆柱形，长 1 ~ 4 cm，有覆瓦状排列、被白色柔毛的苞片；小苞片具缘毛；花被片 2；花丝长 2 ~ 2.5 mm，花药两端深凹入。雌花序通常顶生于近枝顶的侧生短枝上。球果状果序椭圆形，两端近平截或钝，幼嫩时外被灰绿色或黄褐色茸毛，成长时毛常脱落；小苞片变木质，阔卵形，先端略钝或急尖，背无隆起的棱脊；小坚果连翅长 4 ~

7 mm，宽 2 ~ 3 mm。花期 4 ~ 5 月，果期 7 ~ 10 月。

| 生境分布 | 栽培种。广东中部至西南部沿海各地等均有栽培。

| 资源情况 | 栽培资源丰富。药材来源于栽培。

| 采收加工 | 全年均可采收，鲜用或晒干。

| 药材性状 | 本品枝条较长，主枝圆柱形，灰绿色或褐红色，小枝轮生，灰绿色，约有纵棱 7，纤细，直径 0.4 ~ 0.6 mm。枝上有多数节，节间长 3 ~ 6 mm，鳞叶常 7，轮生，下部灰白色，先端红棕色。枝条先端有时有穗状雄花序和头状雌花序。节易脱落，枝条易折断，断面黄绿色。气微，味淡。

| 功能主治 | 微苦、辛，温。宣肺止咳，行气止痛，温中止泻，利湿。用于感冒发热，咳嗽，疝气，腹痛，泄泻，痢疾，小便不利，脚气肿毒。

| 用法用量 | 内服煎汤，3 ~ 9 g。外用适量，煎汤熏洗；或捣敷。

| 凭证标本号 | 440781190516001LY。

榆科 Ulmaceae 糙叶树属 *Aphananthe*

糙叶树 *Aphananthe aspera* (Thunb.) Planch.

| 药 材 名 | 牛筋树（药用部位：根皮、树皮。别名：沙朴）。

| 形态特征 | 落叶乔木，稀灌木状。树皮带褐色或灰褐色，有灰色斑纹，纵裂，粗糙。当年生枝黄绿色，疏生细伏毛；一年生枝红褐色，毛脱落；老枝灰褐色，皮孔明显，圆形。叶纸质，叶背疏生细伏毛，叶面被刚伏毛，粗糙；叶柄长 5 ~ 15 mm，被细伏毛；托叶膜质，条形，长 5 ~ 8 mm。雄聚伞花序生于新枝的下部叶腋，雄花被裂片倒卵状圆形，内凹陷成盔状，长约 1.5 mm，中央有 1 簇毛；雌花单生于新枝的上部叶腋，花被裂片条状披针形，长约 2 mm，子房被毛。核果近球形、椭圆形或卵状球形，由绿色变黑色，被细伏毛，具宿存的花被和柱头，果柄疏被细伏毛。花期 3 ~ 5 月，果期 8 ~ 10 月。

| 生境分布 | 生于路旁、河边，常与朴树、栎树等混生。广东各地均有分布。

| 资源情况 | 野生资源较少，栽培资源丰富。药材来源于野生和栽培。

| 采收加工 | 春、秋季采收，晒干。

| 药材性状 | 本品树皮呈槽状。表面黄褐色，有灰色斑及皱纹，老树干皮可见纵裂纹；内面黄白色，纤维性较强。气微，味淡。

| 功能主治 | 辛、苦，平。化瘀止痛。用于腰肌劳损疼痛。

| 用法用量 | 内服煎汤，10 ~ 20 g。

| 凭证标本号 | 441422190716234LY。

榆科 Ulmaceae 朴属 *Celtis*

紫弹树 *Celtis biondii* Pamp.

| 药 材 名 | 黑弹朴（药用部位：根皮、茎枝、叶。别名：中筋树、沙楠子树、毛果朴）。

| 形态特征 | 落叶乔木。高达 18 m。树皮暗灰色。叶阔卵形、卵形至卵状椭圆形，薄革质；叶柄长 3 ~ 6 mm，幼时有毛；托叶条状披针形。果序单生于叶腋，通常具 2 果实（少有 1 或 3），总梗极短，连同果柄长 1 ~ 2 cm，被糙毛；果实黄色至橘红色，近球形，直径约 5 mm，核两侧稍压扁，侧面观近圆球形，直径约 4 mm，具 4 肋，表面具明显的网孔状。花期 4 ~ 5 月，果期 9 ~ 10 月。

| 生境分布 | 生于山谷疏林或村边、路旁和旷地上。分布于广东从化、翁源、乳源、南雄、大埔、五华、平远、连平、阳山、连州及深圳（市区）、汕

头（市区）、肇庆（市区）、云浮（市区）等。

| 资源情况 | 野生资源较少，栽培资源丰富。药材来源于野生和栽培。

| 采收加工 | 夏、秋季采收，鲜用或晒干。

| 药材性状 | 本品叶片多破碎、皱缩，完整者展平后为卵形或卵状椭圆形，长 3.5 ~ 8 cm，宽 2 ~ 3.5 cm，先端渐尖，基部宽楔形，两边不相等，中上部边缘有锯齿，稀全缘。上表面暗黄绿色，较粗糙，下表面黄绿色；幼叶两面被散生毛，脉上毛较多，脉腋毛较密，老叶无毛。叶柄长 3 ~ 7 mm，具细软毛。质脆，易碎。气微，味淡。

| 功能主治 | 甘，寒。清热解毒，祛痰，利尿。根皮用于乳痈肿痛，痰多咳喘；茎枝用于腰背酸痛；叶用于疮毒溃烂。

| 用法用量 | 内服煎汤，30 ~ 60 g。外用适量，鲜叶加白糖捣敷。

| 凭证标本号 | 441823200710001LY。

榆科 Ulmaceae 朴属 *Celtis*

朴树 *Celtis sinensis* Pers.

| 药 材 名 | 小叶牛筋树（药用部位：根皮、树皮、叶、果实）。

| 形态特征 | 落叶乔木。高达 15 m。叶纸质，3 基出脉明显；叶柄长 5 ~ 10 mm，被短柔毛；托叶线形，长约 8 mm，宽 1 ~ 1.2 mm，背面被毛，早落。花生于当年生枝上，雄花在枝下部排成聚伞花序，雌花生于上部叶腋内；萼片 4；雄蕊 4，与萼片对生，花丝基部被毛；子房卵形，花柱 2。核果近球形，直径约 5 mm，成熟时红褐色，表面有网纹，果柄长 5 ~ 10 mm，疏被柔毛。花期 3 ~ 4 月，果期 9 ~ 10 月。

| 生境分布 | 生于疏林或密林中。广东各地均有分布。

| 资源情况 | 野生资源较少，栽培资源丰富。药材来源于野生和栽培。

| 采收加工 | 夏、秋季采收，晒干或树皮鲜用。

| 药材性状 | 本品叶多破碎，完整者卵形或卵状椭圆形，长 3 ~ 10 cm，宽 1.5 ~ 4 cm，先端尖，基部偏斜，边缘中上部有浅锯齿。上面无毛，棕褐色，下面叶脉上有少数毛茸或无毛，棕黄色。叶柄长 5 ~ 10 mm，被柔毛。气微，味淡。

| 功能主治 | 苦、涩，平。根皮，散瘀止泻。树皮，用于腰痛；果实，清热利喉。外用于烫伤。

| 用法用量 | 内服煎汤，20 ~ 30 g。外用适量，鲜树皮捣敷。

| 凭证标本号 | 440281200709033LY。

榆科 Ulmaceae 朴属 *Celtis*

假玉桂 *Celtis timorensis* Span.

| 药 材 名 | 大叶朴树（药用部位：树皮、根皮、叶。别名：樟叶朴）。

| 形态特征 | 常绿乔木。高达 20 m。树皮灰白色、灰色或灰褐色，木材有恶臭味。叶柄长 3 ~ 12 mm。小聚伞状圆锥花序具约 10 花，在小枝下部的花序全生雄花，在小枝上部的花序为杂性；两性花多生于花序分枝先端，雄花多生于下部。结果时通常有 3 ~ 6 果实在同一果序上，果实容易脱落，宽卵状，长 8 ~ 9 mm，成熟时黄色、橙红色至红色；核椭圆状球形，4 肋较明显，表面有网孔状凹陷。

| 生境分布 | 生于疏林或密林中。分布于广东仁化、徐闻、廉江、雷州、高州、封开、博罗、惠东、连山、英德及云浮（市区）、茂名（市区）、肇庆（市区）、深圳（市区）、珠海（市区）、阳江（市区）等。

| 资源情况 | 野生资源较少，栽培资源丰富。药材来源于野生和栽培。

| 采收加工 | 全年均可采收，多鲜用。

| 药材性状 | 本品树皮呈单卷筒状或双卷筒状，长短不一，厚 3 ~ 4 mm。外表面灰棕色或灰褐色，粗糙，皮孔椭圆形；内表面紫褐色，平滑，有纵浅纹。质坚硬而脆，易折断，断面不平整，略呈层片状。气微，味微苦、涩。

| 功能主治 | 淡，平。祛瘀散结，消肿止血。用于跌打瘀肿，扭挫伤；树皮外用于烫伤。

| 用法用量 | 内服煎汤，20 ~ 30 g。外用适量，鲜树皮捣敷。

| 凭证标本号 | 440783200425004LY。

榆科 Ulmaceae 白颜树属 *Gironniera*

白颜树 *Gironniera subaequalis* Planch.

| 药 材 名 | 大叶白颜树（药用部位：根、叶）。

| 形态特征 | 乔木。高达 25 m。胸径 25 ~ 50 cm，稀达 100 cm。树皮灰色或深灰色，较平滑。叶革质，侧脉 8 ~ 12 对；叶柄长 6 ~ 12 mm，疏生长糙伏毛；托叶成对。雌雄异株，聚伞花序成对腋生，花序梗上疏生长糙伏毛，雄的多分枝，雌的分枝较少，成总状；雄花直径约 2 mm，花被片 5，宽椭圆球形。核果具短梗，成熟时橘红色，具宿存的花柱及花被。花期 2 ~ 4 月，果期 7 ~ 11 月。

| 生境分布 | 生于山坡、山脚、荒坡的灌丛中。分布于广东新会、台山、鹤山、恩平、廉江、信宜、博罗、阳春及阳江（市区）、清远（市区）、茂名（市区）、东莞、云浮（市区）、肇庆（市区）、广州（市区）、

河源（市区）等。

| 资源情况 | 野生资源较少，栽培资源丰富。药材来源于野生和栽培。

| 采收加工 | 全年均可采收，多鲜用。

| 功能主治 | 清凉，止血，止痛。用于跌打瘀肿，刀伤出血。

| 用法用量 | 外用适量，鲜品捣敷。

| 凭证标本号 | 440785190502004LY。

榆科 Ulmaceae 青檀属 *Pteroceltis*

青檀 *Pteroceltis tatarinowii* Maxim.

| 药 材 名 | 檀（药用部位：枝、叶。别名：檀树、翼朴）。

| 形态特征 | 乔木。树皮灰色或深灰色，呈不规则的长片状剥落。小枝黄绿色，干时变栗褐色，疏被短柔毛，后毛渐脱落，皮孔明显，椭圆形或近圆形；冬芽卵形。叶纸质，叶背淡绿色，在脉上有稀疏或较密的短柔毛，脉腋有簇毛，其余近光滑无毛；叶柄长 5 ~ 15 mm，被短柔毛。翅果状坚果近圆形或近四方形，黄绿色或黄褐色，翅宽，稍带木质，有放射状条纹，下端截形或浅心形，先端有凹缺，果实外面无毛或多少被曲柔毛，常有不规则的皱纹，有时具耳状附属物，具宿存花柱和花被，果柄纤细，长 1 ~ 2 cm，被短柔毛。花期 3 ~ 5 月，果期 8 ~ 10 月。

| 生境分布 | 多生于海拔 800 m 以下的低山丘陵。分布于广东乳源、乐昌、封开、阳山、连州等。

| 资源情况 | 野生资源较少，栽培资源丰富。药材来源于野生和栽培。

| 采收加工 | 全年均可采收。

| 功能主治 | 辛、苦，平。祛风，止痛，止血。用于诸风麻痹，痰湿流注，脚膝瘙痒，胃痛，发痧气痛。

| 用法用量 | 内服煎汤，10 ~ 15 g；或浸酒。外用适量，煎汤洗；或捣敷。

| 凭证标本号 | 441882180411013LY。

榆科 Ulmaceae 山黄麻属 *Trema*

狭叶山黄麻 *Trema angustifolia* (Planch.) Bl.

| 药 材 名 | 山郎木（药用部位：根、叶。别名：小麻筋木、细尖叶谷木树）。

| 形态特征 | 灌木或小乔木。小枝纤细，紫红色，干后变灰褐色或深灰色，密被细粗毛。叶卵状披针形，叶背浅绿色，基出脉 3，侧生的 2 脉长达叶片中部，侧脉 2 ~ 4 对；叶柄长 2 ~ 5 mm。花单性，雌雄异株或同株；小聚伞花序；雄花小，直径约 1 mm，几无梗，花被片 5，狭椭圆形，内弯。核果宽卵球状或近圆球形，微压扁，成熟时橘红色，有宿存花被。花期 4 ~ 6 月，果期 8 ~ 11 月。

| 生境分布 | 生于海拔 100 ~ 1 200 m 的疏林或灌丛中。分布于广东新丰、恩平、封开、德庆、博罗、阳春、新兴、郁南、罗定及肇庆（市区）、清远（市区）等。

| **资源情况** | 野生资源较少，栽培资源丰富。药材来源于野生和栽培。

| **采收加工** | 夏、秋季采收，晒干。

| **功能主治** | 辛，凉。疏风清热，凉血止血。用于风热感冒，温病初起，血热妄行之出血证。

| **用法用量** | 内服煎汤，6 ~ 15 g。

| **凭证标本号** | 441823190930022LY。

榆科 Ulmaceae 山黄麻属 *Trema*

光叶山黄麻 *Trema cannabina* Lour.

|药材名|

硬壳朗（药用部位：根皮。别名：滑朗树、蛇药草）。

|形态特征|

灌木或小乔木。叶近膜质，叶面绿色，叶背浅绿色，基部有明显的三出脉，侧生的 2 脉长达叶的中上部，侧脉 2（～ 3）对；叶柄纤细。花单性，雌雄同株；雌花序常生于花枝的上部叶腋，雄花序常生于花枝的下部叶腋，或雌雄同序，聚伞花序一般长不超过叶柄；雄花具梗，花被片 5，倒卵形。核果近球形或阔卵圆球形，成熟时橘红色，有宿存花被。花期 3 ～ 6 月，果期 9 ～ 10 月。

|生境分布|

生于低海拔山坡、旷野的疏林或灌丛中。分布于广东翁源、新丰、乐昌、鹤山、恩平、徐闻、怀集、封开、博罗、梅县、大埔、五华、平远、蕉岭、阳山及深圳（市区）、肇庆（市区）、广州（市区）等。

|资源情况|

野生资源较少，栽培资源丰富。药材来源于野生和栽培。

| 采收加工 | 夏、秋季采收，鲜用或晒干。

| 功能主治 | 甘、微酸，平。健脾利水，化瘀生新。用于水泻，骨折。

| 用法用量 | 内服煎汤，15 ~ 30 g。外用适量，鲜品捣敷。

| 凭证标本号 | 441825190709031LY。

榆科 Ulmaceae 山黄麻属 *Trema*

山油麻 *Trema cannabina* Lour. var. *dielsiana* (Hand.-Mazz.) C. J. Chen

|药 材 名| 山脚麻（药用部位：根、叶。别名：野丝棉、山野麻、羊角杯）。

|形态特征| 灌木或小乔木。小枝紫红色，后渐变棕色，密被斜伸的粗毛。叶薄纸质，叶面被糙毛，粗糙，叶背密被柔毛，脉上有粗毛；叶柄被伸展的粗毛。雄聚伞花序长超过叶柄；雄花被片卵形，外面被细糙毛和多少明显的紫色斑点。核果近球形或阔卵圆形，微压扁，直径 2 ~ 3 mm，成熟时橘红色，有宿存花被。

|生境分布| 生于向阳山坡灌丛中。广东各地均有分布。

|资源情况| 野生资源较少，栽培资源丰富。药材来源于野生和栽培。

| 药材性状 | 本品叶多皱缩，完整叶卵状披针形至椭圆状披针形，长 2 ~ 7 cm，宽 1 ~ 3 cm，先端渐尖，基部宽楔形，边缘有圆锯齿，两面均有短粗毛，脉三出。叶柄长 3 ~ 9 mm，被毛。气微，味甘、微苦。

| 功能主治 | 甘、微苦，微寒。解毒消肿，止血。用于感冒高热，扁桃体炎，咽喉炎，腮腺炎，麻疹，咳嗽，疟疾；外用于毒蛇咬伤，外伤出血，痔疮，痈肿疔疮。

| 用法用量 | 内服煎汤，9 ~ 15 g。外用适量，干根研末敷；或米酒调敷。孕妇及体弱者忌服。

| 凭证标本号 | 441422190723265LY。

榆科 Ulmaceae 山黄麻属 *Trema*

山黄麻 *Trema tomentosa* (Roxb.) Hara.

| 药材名 | 麻桐树（药用部位：叶。别名：麻络木）。

| 形态特征 | 小乔木或灌木。树皮灰褐色，平滑或细龟裂。小枝灰褐色至棕褐色，密被直立或斜展的灰褐色或灰色短绒毛。叶纸质或薄革质，基部心形，明显偏斜，边缘有细锯齿，两面近同色，干时常灰褐色至棕褐色，叶面极粗糙，有直立的基部膨大的硬毛；托叶条状披针形，被毛同幼枝。雄花几无梗，花被片 5，卵状矩圆形，外面被微毛，边缘有缘毛，雄蕊 5，退化雌蕊倒卵状矩圆形，压扁，透明，在其基部有 1 环细曲柔毛。雌花序长 1 ~ 2 cm；雌花具短梗，外面疏生细毛，中肋上密生短粗毛，子房无毛。核果宽卵珠状，表面无毛，成熟时具不规则的蜂窝状皱纹，褐黑色或紫黑色，具宿存的花被；种子阔卵珠状，

两侧有棱。花期 3 ~ 6 月，果期 9 ~ 11 月，在热带地区几乎四季开花。

| **生境分布** | 生于湿润的河谷、山坡混交林或空旷的山坡。分布于广东中部、南部及沿海各岛屿等。

| **资源情况** | 野生资源较少，栽培资源丰富。药材来源于野生和栽培。

| **采收加工** | 全年均可采收，鲜用或晒干。

| **药材性状** | 本品多皱缩，完整者展平后呈卵形、卵状披针形或披针形，先端长渐尖，基部心形或近截形，常稍斜，3 基出脉，明显，边缘有小锯齿，上面有短硬毛而粗糙，下面密被淡黄色柔毛。质脆。气微，味涩。

| **功能主治** | 辛，平。散瘀，消肿，止血。

| **用法用量** | 外用适量，鲜叶捣敷；或干品研末敷。

| **凭证标本号** | 441825190711027LY。

榆科 Ulmaceae 榆属 *Ulmus*

榔榆 *Ulmus parvifolia* Jacq.

| 药 材 名 | 白榆（药用部位：果实、根皮、茎皮、叶。别名：小叶榆、春榆、粘榔树）。

| 形态特征 | 落叶乔木。高达 25 m。叶质地厚，叶面深绿色，侧脉每边 10 ~ 15，细脉在两面均明显；叶柄长 2 ~ 6 mm。花被片 4，深裂至杯状花被的基部或近基部；花梗极短，被疏毛。翅果椭圆球形或卵球状椭圆球形，基部的柄长约 2 mm，两侧的翅较果核部分为窄，果核部分位于翅果的中上部，上端接近缺口，花被片脱落或残存，果柄较管状花被短，长 1 ~ 3 mm，疏生短毛。花果期 8 ~ 10 月。

| 生境分布 | 生于酸性、中性、钙质土的山坡、平原和溪边、河边。分布于广东中部、东部至北部等。

| 资源情况 | 野生资源较少，栽培资源丰富。药材来源于野生和栽培。

| 采收加工 | 夏、秋季采收树皮、根皮、叶，秋季采收果实，晒干。

| 功能主治 | 果实，微辛，平。安神健脾。根皮、茎皮、叶，甘、微苦，寒。安神，利小便。用于神经衰弱，失眠，体虚浮肿。

| 用法用量 | 内服煎汤，果实 3 ~ 9 g，根皮、茎皮、叶 9 ~ 15 g。

| 凭证标本号 | 441623180811020LY。

榆科 Ulmaceae 榉属 *Zelkova*

大叶榉树 *Zelkova schneideriana* Hand.-Mazz.

药材名

大叶榉（药用部位：树皮、叶。别名：血榉、鸡油树）。

形态特征

乔木。高达 35 m。胸径达 80 cm。树皮灰褐色至深灰色，呈不规则的片状剥落。叶厚纸质，叶面绿，侧脉 8 ~ 15 对；叶柄粗短，长 3 ~ 7 mm，被柔毛。雄花 1 ~ 3 簇生于叶腋；雌花或两性花常单生于小枝上部叶腋。核果几无梗，淡绿色，斜卵球状圆锥形，上面偏斜，凹陷，直径 2.5 ~ 3.5 mm，具背腹脊，网肋明显，表面被柔毛，具宿存花被。花期 4 月，果期 9 ~ 11 月。

生境分布

生于山地、山谷林中。分布于广东乳源、乐昌等。

资源情况

野生资源较少，栽培资源丰富。药材来源于野生和栽培。

采收加工

夏、秋季采收，树皮晒干，叶鲜用。

| 功能主治 | 树皮，苦，大寒。清热，利水。用于时行头痛，热毒下痢，水肿。叶，苦，寒。用于火烂疮，疔疮。

| 用法用量 | 内服煎汤，6 ~ 10 g。外用适量，捣敷。

桑科 Moraceae 见血封喉属 *Antiaris*

见血封喉 *Antiaris toxicaria* (Pers.) Lesch.

| 药 材 名 |

箭毒木（药用部位：乳汁、种子。别名：加毒、大毒木、药树）。

| 形态特征 |

乔木。树干基部粗大，具板状根。树皮灰色，具泡沫状突起。嫩叶披针形，密被棕色长粗毛，边缘有锯齿，成长叶圆形，长 7 ~ 20 cm，宽 3.5 ~ 7 cm，先端短渐尖，基部圆形或心形，略偏斜，两面被棕色短粗毛，背面和中脉毛较密，或脱落无毛，全缘或有微锯齿；叶柄长 6 ~ 8 mm，有棕色毛。雄花雄蕊与萼片同数，花药有散生、紫色的斑点；雌花苞片约 12，卵形，有短粗毛。果实直径约 1.8 cm，梨形，紫色、绯红色或粉红色，味极苦，宿存苞片少数。花期春季。

| 生境分布 |

常生于低海拔的山地常绿阔叶林中或丘陵、平地、村边杂木林中。分布于广东恩平及以南沿海地区等。

| 资源情况 |

野生资源较少，栽培资源丰富。药材来源于野生和栽培。

| **采收加工** | 夏季采收，乳汁干燥，种子晒干。

| **功能主治** | 苦，温；有大毒。乳汁，强心，催吐，泻下，麻醉。种子，解热。

| **凭证标本号** | 440882180513008LY。

桑科 Moraceae 波罗蜜属 *Artocarpus*

波罗蜜 *Artocarpus heterophyllus* Lam.

| 药 材 名 |

菠萝蜜（药用部位：树液、果实、种仁。别名：牛肚子果、树波罗、木波罗）。

| 形态特征 |

常绿乔木。小枝具纵皱纹至平滑，无毛。托叶抱茎环状，遗痕明显；叶革质，呈螺旋状排列，椭圆形或倒卵形，先端钝或渐尖，基部楔形，成熟叶全缘，或在幼树和萌发枝上的叶常分裂，叶面墨绿色，干后浅绿色或淡褐色，无毛，有光泽，背面浅绿色，略粗糙，侧脉羽状，中脉在背面显著凸起。聚花果椭圆球形至球形，或形状不规则，直径 25 ~ 50 cm，幼时浅黄色，成熟时黄褐色，表面有坚硬六角形瘤状突体和粗毛；核果长椭圆形，长约 3 cm。花期 2 ~ 3 月。

| 生境分布 |

栽培种。广东中部、西部以南各地等有栽培。

| 资源情况 |

栽培资源丰富。药材来源于栽培。

| 采收加工 |

树液，全年均可采收，鲜用。果实，果熟

期（早熟种为 5 ~ 6 月，迟熟种为 8 ~ 9 月）采摘，也可采摘未成熟果实，多鲜用。种仁，夏、秋季采收，晒干。

| 功能主治 | 树液，淡、涩，平。散结消肿，止痛。用于疮疖焮赤肿痛，湿疹。果实，甘、酸，平。生津除烦，解酒醒脾。种仁，益气通乳。用于产后脾虚气弱，乳少，乳汁不行。

| 用法用量 | 树液，外用适量，鲜品涂。果实，内服多鲜品生食，50 ~ 100 g。种仁，内服煎汤，60 ~ 120 g；或炖肉。

| 凭证标本号 | 441284190722741LY。

桑科 Moraceae 波罗蜜属 *Artocarpus*

白桂木 *Artocarpus hypargyreus* Hance

| 药材名 | 将军木（药用部位：根。别名：胭脂木、狗卵果）。

| 形态特征 | 大乔木。树皮深紫色，呈片状剥落。幼枝被白色紧贴柔毛。叶互生，革质，椭圆形至倒卵形，长 8 ~ 15 cm，宽 4 ~ 7 cm，先端渐尖至短渐尖，基部楔形，全缘，幼树之叶常羽状浅裂，表面深绿色，仅中脉被微柔毛，背面绿色或绿白色，被粉末状柔毛，网脉很明显，干时背面灰白色；叶柄长 1.5 ~ 2 cm，被毛。聚花果近球形，直径 3 ~ 4 cm，浅黄色至橙黄色，表面被褐色柔毛，微具乳头状突起，果柄长 3 ~ 5 cm，被短柔毛。花期春、夏季间。

| 生境分布 | 生于低海拔的疏林中。分布于广东从化、始兴、翁源、乳源、乐昌、南雄、南澳、广宁、封开、龙门、大埔、丰顺、五华、平远、蕉岭、

兴宁、连平、和平、阳山、连山、连南、连州、饶平、揭西及深圳（市区）、珠海（市区）、阳江（市区）等。

| **资源情况** | 野生资源较少，栽培资源丰富。药材来源于野生和栽培。

| **采收加工** | 夏、秋季采收，切片，晒干。

| **功能主治** | 甘、淡，温。祛风利湿，止痛。用于风湿痹痛，头痛，产妇乳汁不足。

| **用法用量** | 内服煎汤，15 ~ 60 g；或浸酒。

| **凭证标本号** | 441823200710022LY。

桑科 Moraceae 波罗蜜属 *Artocarpus*

桂木 *Artocarpus nitidus* Trec. subsp. *lingnanensis* (Merr.) Jarr.

| 药 材 名 | 大叶胭脂（药用部位：果实、根。别名：胭脂公、红桂木）。

| 形态特征 | 乔木。主干通直。树皮黑褐色，纵裂。叶互生，革质，长圆状椭圆形至倒卵椭圆形，长 7 ～ 15 cm，宽 3 ～ 7 cm，先端短尖或具短尾，基部楔形或近圆形，全缘或具不规则浅疏锯齿，表面深绿色，背面淡绿色，两面均无毛，侧脉 6 ～ 10 对，在表面微隆起，背面明显隆起，嫩叶干时黑色。总花梗长 1.5 ～ 5 mm。聚花果近球形，表面粗糙被毛，直径约 5 cm，成熟时红色，肉质，干时褐色，苞片宿存；小核果 10 ～ 15。花期 4 ～ 5 月。

| 生境分布 | 生于中海拔湿润的杂木林中。分布于广东除西南部以外的各个地区等。广东广州（市区）等有栽培。

| 资源情况 | 野生资源较少，栽培资源丰富。药材来源于野生和栽培。

| 采收加工 | 夏、秋季采收，切片，晒干。

| 药材性状 | 本品果实多切片，片块的边缘皱缩不平，厚 0.3 cm 左右，直径 2 ~ 4 cm，表面灰黄色或灰绿色，有绒毛。果肉部分肥厚肉质，黄白色或浅红棕色。瘦果心形或卵形，黄色，埋藏于肉质体上。气微酸，味酸、微甘。以片大、肉质、色黄白者为佳。

| 功能主治 | 果实，甘、酸，平。清肺止咳，活血止血。根，辛，微温。健胃行气，活血祛风。用于肺结核咯血，支气管炎，吐血。

| 用法用量 | 内服煎汤，用量 15 ~ 30 g。

| 凭证标本号 | 441284200110647LY。

桑科 Moraceae 波罗蜜属 *Artocarpus*

二色波罗蜜 *Artocarpus styracifolius* Pierre

药材名

红枫荷（药用部位：根。别名：奶浆果、小叶胭脂树）。

形态特征

乔木。小枝幼时密被白色短柔毛。叶互生，长圆形或倒卵状披针形，先端渐尖为尾状，基部楔形，略下延至叶柄，全缘，幼枝的叶常分裂或在上部有浅锯齿，叶面疏生短毛，背面被苍白色粉末状毛，脉上毛更密。花雌雄同株，雄花序椭圆形，密被灰白色短柔毛，花序轴被毛；雌花花被片外面被柔毛，雄蕊1，花药球形。聚花果球形，黄色，干时红褐色，被毛，表面着生很多弯曲、圆柱形长达 5 mm 的突起；核果球形。花期秋初，果期秋末冬初。

生境分布

生于中海拔的山谷、山坡疏林中。分布于广东增城、从化、翁源、新丰、乐昌、高州、信宜、广宁、怀集、封开、德庆、高要、博罗、龙门、阳春、连山、英德、新兴、罗定、茂名（市区）、河源（市区）、阳江（市区）、清远（市区）、云浮（市区）等。

| 资源情况 | 野生资源较少，栽培资源丰富。药材来源于野生和栽培。

| 采收加工 | 夏、秋季采收，晒干。

| 药材性状 | 本品根圆柱形，长短不一，直径 0.8 ~ 3 cm。表面灰棕色至黄棕色，栓皮易成层剥落，剥落处显暗红色，有细密纵皱纹。质硬，断面皮部暗棕色，木部灰棕色。气微，味淡。

| 功能主治 | 甘，温。祛风除湿，舒筋活血。用于风湿痹痛，腰痛，半身不遂，跌打瘀肿。

| 用法用量 | 内服煎汤，20 ~ 30 g。

| 凭证标本号 | 440224190609020LY。

桑科 Moraceae 构属 *Broussonetia*

楮 *Broussonetia kazinoki* Sieb.

| 药材名 | 构皮麻（药用部位：根或根皮、茎皮、叶、树汁。别名：小构树、藤构、葡蟠）。

| 形态特征 | 攀缘状灌木。枝蔓生，幼时被浅褐色柔毛，后毛脱落。叶互生，螺旋状排列，纸质，卵状椭圆形，先端渐尖或长渐尖，基部心形或近截形，常偏斜，边缘有小锯齿，不裂或不规则分裂，背面有较密的毛。花雌雄异株。雄花序有毛，长 1.5 ~ 2.5 cm；雄花花被片 3 ~ 4，裂片外面被毛，雄蕊 3 ~ 4，花药椭圆形，退化雌蕊小。雌花集生为球形的头状花序，有毛。聚花果成熟时直径 8 ~ 10 mm；小核果近椭圆球形。花期 4 ~ 6 月，果期 5 ~ 7 月。

| 生境分布 | 生于山坡、丘陵灌丛或次生杂木林中。分布于广东除西南部以外的

各个地区。

| 资源情况 | 野生资源较少，栽培资源丰富。药材来源于野生和栽培。

| 采收加工 | 根或根皮、茎皮、叶，夏、秋季采收，晒干。

| 功能主治 | 甘、淡，平。根或根皮，散瘀止痛。用于风湿痹痛，跌打损伤，虚肿。茎皮、叶，解毒，杀虫。用于吐血，衄血，崩血，金疮出血，水肿，疝气，痢疾，毒疮。树汁，祛风止痒，清热解毒。

| 用法用量 | 根或根皮，内服煎汤，30 ~ 60 g。叶，外用适量，捣汁涂擦。

| 凭证标本号 | 445121190223063LY。

桑科 Moraceae 构属 *Broussonetia*

构树 *Broussonetia papyrifera* (Linn.) L' Hert. ex Vent.

| 药 材 名 | 楮实（药用部位：根或根皮、树皮、树汁、枝条、叶、果实。别名：楮树白皮、沙纸树、谷木）。

| 形态特征 | 落叶乔木。有乳状汁液。叶互生，纸质，在苗期常琴状分裂，成长树的叶全缘，阔卵形至椭圆状卵形，先端渐尖，基部心形或圆形，边缘有粗齿，上面粗糙，下面密被柔毛，叶脉在背面较明显；托叶2。花雌雄异株。雄花排成密集的圆柱形柔荑花序；花序梗被毛；小苞片披针形；雄蕊4，花药球形。雌花排成头状花序；小苞片线形；花萼管状，先端3齿裂，宿存；子房上位，具柄，柱头线形。聚花果球形，直径1.5～2 cm，成熟时红色。花期4～5月，果期6～7月。

| 生境分布 | 多生于村旁旷地上。分布于广东曲江、始兴、翁源、乳源、乐昌、新会、鹤山、徐闻、信宜、德庆、平远、和平、阳山、连山、连南、英德及惠州（市区）、茂名（市区）、广州（市区）、肇庆（市区）等。

| 资源情况 | 野生资源较少，栽培资源丰富。药材来源于野生和栽培。

| 采收加工 | 冬、春季采收根皮、树皮，夏、秋季采收树汁、叶、果实，鲜用或阴干。

| 药材性状 | 本品果实呈圆球形、卵圆形至宽卵形，稍扁，长 0.15 ~ 0.6 cm，宽 0.15 ~ 0.2 cm。表面红棕色至棕黄色，微具网状皱纹和颗粒状突起，一侧有 1 凹沟，另一侧有棱，偶有果柄和未除净的灰白色膜状宿存萼。质硬而脆，易压碎。胚乳白色，富油质。气微，味淡，微有油腻感。投入水中，微有淡红色液汁渗出。以果实饱满、色红棕者为佳。

| 功能主治 | 根，甘，微寒。凉血散瘀，清热利湿。根皮、树皮，甘，平。利尿止血。用于水肿，筋骨酸痛。树汁，甘，平。利尿，杀虫解毒。外用于神经性皮炎等。枝条，祛风，明目，利湿。叶，甘，凉。凉血止血，利尿解毒。用于鼻衄，肠炎，痢疾。果实，甘，寒。滋肾益阴，清肝明目，健脾利水。用于腰膝酸软，肾虚目昏，阳痿，水肿。

| 用法用量 | 根或根皮，内服煎汤，30 ~ 60 g。叶，内服煎汤，9 ~ 15 g。外用适量，捣汁涂擦。果实，内服煎汤， 6 ~ 12 g。

| 凭证标本号 | 441523190516056LY。

桑科 Moraceae 号角树属 *Cecropia*

号角树 *Cecropia peltata* Linn.

| 药 材 名 | 蚁栖树（药用部位：嫩叶、树汁。别名：聚蚁树）。

| 形态特征 | 乔木。树干粗壮，分枝少。枝粗大，有短硬毛或毛脱落。叶腹面稍粗糙，无毛，背面密被白色短绒毛，先端钝或圆形，基部不收缩或略收缩；叶柄长 13 ~ 29 cm，粗大，有白色蛛丝状毛或毛脱落，叶枕（叶柄基部的膨大部分）有锈色或白色短绒毛；托叶长 6 ~ 9 cm，有微硬毛。12 ~ 30 雄花序成 1 束，长 3 ~ 5 cm，直径约 4 mm；佛焰苞在将开花时密被白色短绒毛；花期春末夏初。

| 生境分布 | 栽培种。广东广州（市区）等有栽培。

| 资源情况 | 栽培资源丰富。药材来源于栽培。

| **采收加工** | 全年均可采收，鲜用。

| **功能主治** | 嫩叶，消肿，散结。用于肠炎，肝炎。

| **用法用量** | 嫩叶，内服煎汤，15 ~ 30 g。树汁，外用适量，涂敷。

| **附　　注** | 在 FOC 中，本种被归入荨麻科。

桑科 Moraceae 柘属 *Cudrania*

蕈芝 *Cudrania cochinchinensis* (Lour.) Kudo & Masamune

| 药材名 | 穿破石（药用部位：根。别名：金蝉退壳、黄龙退壳、牵扯入石）。

| 形态特征 | 直立或攀缘状灌木。根圆柱形，表皮金黄色或橙红色，极易脱落。枝有粗壮、直或微弯的利刺，折断后有白色汁液。叶互生，革质，椭圆形、长卵形或长倒卵形，先端钝或短渐尖，基部楔形或钝，全缘。花雌雄异序，小而多数聚集成圆头状、单生或成对的头状花序。雄花序直径约 6 mm；雄花有萼片 3 ～ 5，不等大，被毛；雄蕊 4。雌花序较小；萼片 4，先端增厚，被茸毛。果序球形，肉质，成熟时黄色。花期 4 ～ 5 月，果期 9 ～ 10 月。

| 生境分布 | 生于山谷林中或山坡灌丛中。广东各地均有分布。

王蕾提供

| 资源情况 | 野生资源较少，栽培资源丰富。药材来源于野生和栽培。

| 采收加工 | 全年均可采挖，除去须根，洗净，切片或块，鲜用或晒干。

| 药材性状 | 本品呈不规则的块片状，大小不一，外皮橙黄色或橙红色，具多数纵皱纹，有时可见白色点状或横长的疤痕，外皮薄，多层，极易逐层脱落，脱落处显灰黄色或棕黄色，并有橙黄色斑块。质坚硬，不易折断，切开面淡黄色，皮部薄，木部宽广。气微，味淡。以外皮橙黄色者为佳。

| 功能主治 | 微苦，微寒。止咳化痰，祛风利湿，散瘀止痛。用于风湿痹痛，跌打损伤，黄疸，腮腺炎，肺结核，胃和十二指肠溃疡，淋浊，蛊胀，闭经，劳伤咯血，疔疮痈肿。

| 用法用量 | 内服煎汤，9 ~ 30 g，鲜品可用至 120 g；或浸酒。外用适量，捣敷。

| 凭证标本号 | 441523190403048LY。

王蕾提供

桑科 Moraceae 柘属 *Cudrania*

毛柘藤 *Cudrania pubescens* Tréc.

| 药 材 名 | 黄桑（药用部位：根或根皮、心材。别名：黄勒婆）。

| 形态特征 | 攀缘灌木。小枝圆柱形，幼枝密被黄褐色短柔毛，老枝灰绿色，皮孔椭圆形。叶椭圆形，先端渐尖或短渐尖，基部宽楔形或近圆形，全缘，叶面近无毛，背面密被黄褐色长柔毛，中脉在表面明显隆起；叶柄长 1.5 cm，密被黄褐色柔毛；托叶早落。雌雄异株，雄花序成对腋生，球形，直径约 1 cm；雄花花被 4，花被片分离，下部合生，肉质；雄蕊 4，花丝短，在花芽时直立；退化雌蕊圆锥形。聚花果近球形，直径 1.5 ~ 2 cm，成熟时橙红色，肉质；小核果卵圆球形。

| 生境分布 | 生于山谷林中或山坡灌丛中。广东各地均有分布。

| 资源情况 | 野生资源较少，栽培资源丰富。药材来源于野生和栽培。

| 采收加工 | 夏、秋季采收，切片，晒干。

| 功能主治 | 祛风散寒，止咳。用于风湿痹痛，感冒咳嗽。

| 用法用量 | 内服煎汤，15 ~ 30 g。外用适量，根皮捣敷。孕妇忌服。

桑科 Moraceae 柘属 *Cudrania*

柘树 *Cudrania tricuspidata* (Carr.) Bur. ex Lavallee

|药材名| 黄簕根（药用部位：根皮。别名：黄霜簕、猫爪簕）。

|形态特征| 灌木或乔木。枝具坚硬的刺；刺长 5 ~ 35 mm。叶纸质或薄革质，倒卵形、卵形或椭圆形，长 3 ~ 15 cm，宽 2 ~ 7 cm，先端钝或渐尖，基部楔形或圆形，全缘或 3 浅裂，幼时两面稍有疏短毛，成长后除背面主脉上略有疏毛外无毛，侧脉 4 ~ 5 对，在背面明显；叶柄长 0.5 ~ 3.5 cm。花序单个或成对腋生，具短总花梗；雄花萼片 4；雌花花柱不分裂，先端弯。果实成熟时直径约 2.5 cm，红色。花期夏初，果期夏、秋季。

|生境分布| 生于阳光充足的山地、荒坡灌丛中。分布于广东曲江、乳源、乐昌、封开、德庆、高要、阳山、连山及深圳（市区）、河源（市区）、

广州（市区）等。

| 资源情况 | 野生资源较少，栽培资源丰富。药材来源于野生和栽培。

| 采收加工 | 全年均可采收，砍取树根，趁鲜剥取根皮，切段或片，晒干。

| 功能主治 | 甘，微寒。舒经络，壮筋骨，祛风湿，散瘀消肿。用于腰痛，遗精，咯血，跌打损伤。

| 用法用量 | 内服煎汤，15 ~ 30 g。外用适量，捣敷。孕妇忌服。

| 凭证标本号 | 441882180411018LY。

桑科 Moraceae 水蛇麻属 *Fatoua*

水蛇麻 *Fatoua villosa* (Thunb.) Nakai

| 药 材 名 | 小蛇麻（药用部位：全草）。

| 形态特征 | 一年生草本。高 30 ~ 80 cm，幼枝绿色后变黑色，微被长柔毛。叶膜质，卵圆形，先端急尖，基部心形至楔形，边缘锯齿三角形，微钝，两面被粗糙贴伏柔毛，侧脉每边 3 ~ 4，叶片基部稍下延成叶柄；叶柄被柔毛。花单性；聚伞花序腋生；雄花钟形，花被片长约 1 mm，雄蕊伸出花被片外，与花被片对生；雌花花被片宽舟状，稍长于雄花被片，子房近扁球形，花柱侧生，丝状，约长于子房 2 倍。瘦果略扁，具 3 棱，表面散生细小瘤体；种子 1。花期 5 ~ 8 月。

| 生境分布 | 生于荒地或路旁、灌丛中。分布于广东中部、东部至北部等。

| 资源情况 | 野生资源较少，栽培资源丰富。药材来源于野生和栽培。

| 采收加工 | 夏、秋季采收，晒干。

| 功能主治 | 苦，寒。清热解毒。用于风热感冒，头痛，咳嗽，疮毒疖肿。

| 用法用量 | 内服煎汤，15 ~ 20 g。

| 凭证标本号 | 441825191003006LY。

桑科 Moraceae 榕属 *Ficus*

石榕树 *Ficus abelii* Miq.

| 药 材 名 |

毛脉榕（药用部位：叶。别名：水石榕）。

| 形态特征 |

灌木。小枝、叶柄密生灰白色粗短毛。叶纸质，窄椭圆形至倒披针形，先端短渐尖至急尖，基部楔形，全缘，表面散生短粗毛，成长后脱落，背面密生黄色或灰白色短硬毛和柔毛。榕果单生于叶腋，近梨形，成熟时紫黑色或褐红色，密生白色短硬毛，顶部有脐状突起，基部收缩为短柄，基生苞片 3，三角状卵形，被毛；雄花散生于榕果内壁，近无柄，花被片 3，短于雄蕊，花药长于花丝。瘦果肾形，外有 1 层泡状黏膜包着。花期 5 ~ 7 月。

| 生境分布 |

生于低海拔至中海拔的山谷或溪边潮湿地上。分布于广东从化、翁源、乳源、乐昌、信宜、广宁、怀集、封开、高要、博罗、惠东、龙门、紫金、连平、和平、阳春、阳山、连山、连南、英德及清远（市区）等。

| 资源情况 |

野生资源较少，栽培资源丰富。药材来源于

野生和栽培。

| **采收加工** | 全年均可采收，鲜用。

| **功能主治** | 苦，凉。消肿止痛，去腐生新。用于乳痈，刀伤。

| **用法用量** | 外用适量，鲜品捣敷。

| **凭证标本号** | 441823210205017LY。

桑科 Moraceae 榕属 *Ficus*

高山榕 *Ficus altissima* Bl.

|药 材 名| 鸡榕（药用部位：气生根。别名：大叶榕）。

|形态特征| 乔木。树皮灰色，平滑。幼枝绿色，被微柔毛。叶厚革质，广卵形至广卵状椭圆形，先端钝，急尖，基部宽楔形，全缘，两面光滑，无毛，基生侧脉延长，侧脉 5 ~ 7 对；叶柄长 2 ~ 5 cm，粗壮。榕果成对腋生，椭圆状卵圆形，直径 17 ~ 28 mm，幼时包藏于早落风帽状苞片内，成熟时红色或带黄色，顶部脐状凸起，基生苞片短宽而钝，脱落后环状；雄花散生于榕果内壁，雄蕊 1，花柱近顶生，较长；雌花无柄，花被片与瘿花同数。瘦果表面有瘤状突体，花柱延长。花期 3 ~ 4 月，果期 5 ~ 7 月。

|生境分布| 常生于海拔 100 ~ 200 m 的山地。广东各地均有栽培。

| 资源情况 | 野生资源较丰富，栽培资源丰富。药材来源于野生和栽培。

| 采收加工 | 春、夏季采收。

| 功能主治 | 清热解毒，活血，止痛。

| 用法用量 | 内服煎汤，15 ~ 20 g。

| 凭证标本号 | 440523191002016LY。

桑科 Moraceae 榕属 *Ficus*

垂叶榕 *Ficus benjamina* Linn.

| 药 材 名 | 吊丝榕（药用部位：叶、气生根）。

| 形态特征 | 大乔木。叶互生，薄革质，阔卵状椭圆形、卵形或椭圆形，长 3.5 ~ 10 cm，宽 2 ~ 5.8 cm，先端短渐尖或长渐尖，微弯，基部圆形、楔形或近急尖，有光泽，全缘，侧脉多，纤细而密，近边缘处连结；叶柄长 0.7 ~ 2 cm；托叶披针形，长约 6 mm。花序单生或成对腋生，球形或卵形，平滑，成熟时红色或黄色，直径 1 ~ 1.5 cm，基部的苞片卵圆形，无总花梗。花果期全年。

| 生境分布 | 生于低海拔的山谷、平地河旁、溪边的杂木林中。广东各地均有栽培。

| **资源情况** | 野生资源较少，栽培资源丰富。药材来源于野生和栽培。

| **采收加工** | 全年均可采收叶，春、夏季采收气生根。

| **功能主治** | 淡、微涩，凉。行气，消肿散瘀。用于跌打瘀痛，疝气。

| **用法用量** | 内服煎汤，15 ~ 20 g。

| **凭证标本号** | 441284190722650LY。

桑科 Moraceae 榕属 *Ficus*

无花果 *Ficus carica* Linn.

| 药材名 | 文先果（药用部位：根、果实、叶。别名：奶浆果、明目果、密果）。

| 形态特征 | 落叶灌木或小乔木。高达 10 m，具乳汁。树皮暗褐色。小枝直立，粗壮，无毛。叶互生，厚纸质，倒卵形或卵圆形，长 10 ~ 15 cm，宽 8 ~ 14 cm，先端钝，基部心形，边缘波状或具粗齿，掌状脉明显，表面粗糙，背面有短毛；叶柄长 3 ~ 7 cm，光滑或有长毛。隐头花序；花单性同株，小花白色，极多数，着生于花托的内壁上；花托单生于叶腋，梨形，带绿色，成熟时黑褐色，肉质而厚。瘦果三棱状卵球形。花期 5 ~ 6 月，果期 10 月。

| 生境分布 | 栽培种。广东各地均有栽培。

| 资源情况 | 栽培资源丰富。药材来源于栽培。

| 采收加工 | 根，全年均可采收，鲜用或晒干。果实，7 ~ 10 月果实呈绿色时分批采摘或拾取落地的未成熟果实，用开水烫后晒干或烘干。叶，夏、秋季采收，鲜用或晒干。

| 药材性状 | 本品干燥花托呈梨形或类球形，内壁有众多细小的瘦果，有时上部可见枯萎的雄花。瘦果三棱状卵形，长 1 ~ 2 mm，淡黄色，外有宿存包被。气微，味甘。以身干、暗棕色、无霉蛀者为佳。

| 功能主治 | 根、叶，淡、涩，平。散瘀消肿，止泻。用于肠炎，痢疾，便秘，痔疮，喉痛，痈疮疥癣。果实，甘，平。润肺止咳，清热润肠。用于咽喉肿痛，燥咳声嘶，乳汁稀少，肠热便秘，食欲不振，消化不良，泄泻，痢疾，痈肿，癣症。

| 用法用量 | 内服煎汤，30 ~ 60 g。外用适量，煎汤洗；或研末调敷；或吹喉。

| 凭证标本号 | 440523190714025LY。

| 附　　注 | 本种喜温暖湿润气候，耐贫瘠和干燥，适宜栽培于土层深厚、疏松肥沃、排水良好的砂壤土中。

桑科 Moraceae 榕属 *Ficus*

纸叶榕 *Ficus chartacea* Wall. ex King

| 药 材 名 | 纸叶榕（药用部位：根、枝叶、花托）。

| 形态特征 | 灌木。叶长椭圆状披针形至倒卵状披针形，长 9 ~ 12 cm，宽 3 ~ 4 cm，先端急尖，基部圆形，全缘，两面疏生微柔毛，基生侧脉延长至叶片 1/2 处；托叶膜质，红色，线状披针形，长约 5 mm，先端渐尖，外面被微柔毛。榕果成对或单生于叶腋，具总梗，球形，直径 5 ~ 7 mm；雄花和瘿花散生于同一榕果内壁，雄花具柄，雄蕊 1 ~ 2，花药椭圆形；瘿花花被片 4，子房光滑，花柱侧生，短；雌花花被片 3 ~ 4，卵状披针形，子房卵形。瘦果卵圆形，表面有皱纹，花柱侧生，柱头浅形。

| 生境分布 | 生于山谷沟林旁。分布于广东乳源等。

| 资源情况 | 野生资源较少，栽培资源丰富。药材来源于野生和栽培。

| 采收加工 | 根、枝叶，全年均可采收。花托，春、夏季采收。

| 功能主治 | 根，消肿。枝叶，用于跌打损伤，月经不调。花托，补血。

桑科 Moraceae 榕属 *Ficus*

雅榕 *Ficus concinna* (Miq.) Miq.

| 药 材 名 | 无柄小叶榕（药用部位：根。别名：小叶榕、近无柄雅榕）。

| 形态特征 | 乔木。树皮深灰色，有皮孔。小枝粗壮，无毛。叶狭椭圆形，全缘，先端短尖至渐尖，基部楔形，两面光滑无毛，干后灰绿色。榕果成对腋生或 3 ~ 4 簇生于无叶小枝叶腋，球形，直径 4 ~ 5 mm；雄花、瘿花、雌花生于同一榕果内壁；雄花极少数，生于榕果内壁近口部，花被片 2，披针形，子房斜卵形，花柱侧生，柱头圆形；瘿花相似于雌花，花柱线形而短；榕果无总梗或总梗长不超过 0.5 mm。花果期 3 ~ 6 月。

| 生境分布 | 生于山地林中。分布于广东翁源、阳山、丰顺等。

| 资源情况 | 野生资源较少，栽培资源丰富。药材来源于野生和栽培。

| 采收加工 | 全年均可采挖，洗净，鲜用或晒干。

| 功能主治 | 微苦，平。祛风除湿，行气活血。用于风湿痹痛，胃痛，阴挺，跌打损伤。

| 用法用量 | 内服煎汤，15 ~ 30 g。

桑科 Moraceae 榕属 *Ficus*

印度榕 *Ficus elastica* Roxb. ex Hornem.

药材名

橡胶榕（药用部位：树胶）。

形态特征

乔木。叶厚革质，长圆形至椭圆形，长 8 ~ 30 cm，宽 7 ~ 10 cm，先端急尖，基部宽楔形，全缘，表面深绿色，光亮，背面浅绿色，侧脉不明显，平行展出。榕果成对生于已落叶枝的叶腋，卵状长椭圆球形，长 10 mm，直径 5 ~ 8 mm，黄绿色，基生苞片风帽状，脱落后基部有 1 环状痕迹；雄花、瘿花、雌花同生于榕果内壁；雄花具柄，散生于内壁，雄蕊 1，花药卵圆形，不具花丝；雌花无柄。瘦果卵圆形，表面有小瘤体，花柱长，宿存，柱头膨大，近头状。花期冬季。

生境分布

栽培种。常栽培于热带和亚热带地区。广东各地均有栽培。

资源情况

野生资源较少，栽培资源丰富。药材来源于野生和栽培。

| **采收加工** | 全年均可采收。

| **功能主治** | 酸、苦、涩，凉。止血。用于外伤出血。

| **用法用量** | 外用适量，鲜品敷。

桑科 Moraceae 榕属 *Ficus*

天仙果 *Ficus erecta* Thunb. var. *beecheyana* (Hook. et Arn.) King

| 药 材 名 | 牛乳茶（药用部位：根。别名：牛奶子、山牛奶、鹿饭榕）、牛奶浆（药用部位：果实）。

| 形态特征 | 落叶小乔木或灌木。树皮灰褐色。小枝密生硬毛。叶厚纸质，倒卵状椭圆形，先端短渐尖，基部圆形至浅心形，全缘或上部偶有疏齿，表面较粗糙，疏生柔毛，背面被柔毛。榕果单生于叶腋，具总梗，球形或梨形，直径 1.2 ~ 2 cm，幼时被柔毛和短粗毛，顶生苞片脐状，基生苞片 3，卵状三角形，成熟时黄红色至紫黑色；雄花和瘿花生于同一榕果内壁，雌花生于另一植株的榕果中。花果期 5 ~ 6 月。

| 生境分布 | 常生于山坡、林下、溪边潮湿处。分布于广东南部以外的各个地区。

| 资源情况 | 野生资源较少，栽培资源丰富。药材来源于野生和栽培。

| 采收加工 | **牛乳茶**：夏、秋季采收，鲜用或晒干。

牛奶浆：秋季果实成熟时采收。

| 药材性状 | **牛奶浆**：本品卵圆形或梨形，直径约 1.5 cm，顶部具凸头，黄红色至紫黑色，带有极短的果柄及残存的苞片。质坚硬，横切面内壁可见众多细小瘦果，有时壁的上部尚见枯萎的雄花。气微，味甜、略酸。以干燥、紫黑色、无霉蛀者为佳。

| 功能主治 | **牛乳茶**：甘、辛、酸，温。祛风化湿，止痛。用于风湿关节疼痛，头风疼痛，跌打损伤，月经不调，腹痛，腰疼带下，小儿发育迟缓。

牛奶浆：缓下，润肠。用于便秘，痔疾。

| 用法用量 | 内服煎汤，15 ～ 30 g，鲜品 30 ～ 60 g。外用适量，捣敷。

| 凭证标本号 | 441825190707032LY。

| 附　　注 | 在《中国植物志》中，本种被修订为矮小天仙果 *Ficus erecta* Thunb.

桑科 Moraceae 榕属 *Ficus*

黄毛榕 *Ficus esquiroliana* Lévl.

| 药 材 名 | 老虎掌（药用部位：根皮。别名：老鸦风、大赦婆树、毛棵）。

| 形态特征 | 乔木。皮灰褐色，具纵棱。幼枝中空，被褐黄色硬长毛。叶互生，纸质，阔卵形，急渐尖，具长约 1 cm 的尖尾，基部浅心形，叶面疏生糙伏状长毛，背面被长约 3 mm 的褐黄色波状长毛，以中脉和侧脉稠密，余均密被黄色和灰白色绵毛，边缘有细锯齿，齿端被长毛；叶柄细长，疏生长硬毛；托叶披针形，长 1 ~ 1.5 cm，早落。榕果腋生，圆锥状椭圆形，表面疏被或密生浅褐色长毛；瘦果斜卵圆球形，表面有瘤体。花期 5 ~ 7 月，果期 7 月。

| 生境分布 | 生于山谷、溪边林中。分布于广东从化、恩平、信宜、怀集、大埔、新兴及清远（市区）、肇庆（市区）等。

| 资源情况 | 野生资源较少，栽培资源丰富。药材来源于野生和栽培。

| 采收加工 | 夏、秋季采收，晒干。

| 功能主治 | 甘，平。健脾益气，活血祛风。用于气虚，阴挺，脱肛，便溏，水肿，风湿痹痛。

| 用法用量 | 内服煎汤，30 ~ 60 g。

| 凭证标本号 | 441284190816446LY。

桑科 Moraceae 榕属 *Ficus*

水同木 *Ficus fistulosa* Reinw. ex Bl.

| **药 材 名** | 哈氏榕（药用部位：根皮、叶）。

| **形态特征** | 常绿小乔木。树皮黑褐色。枝粗糙。叶互生，纸质，倒卵形至长圆形，先端具短尖，基部斜楔形或圆形，全缘或微波状，叶面无毛，背面微被柔毛或黄色小突体。榕果簇生于老干发出的瘤状枝上，近球形，直径 1.5 ~ 2 cm，光滑，成熟后橘红色，不开裂，总梗长 8 ~ 24 mm，花柱长，棒状。花期 5 ~ 7 月。

| **生境分布** | 生于溪旁、岩石上或散生于村落附近的疏林中。分布于广东封开、高要、博罗、惠东、大埔、阳春、英德、饶平、揭西及广州（市区）、深圳（市区）、河源（市区）、珠海（市区）、清远（市区）、茂名（市区）、惠州（市区）等。

| 资源情况 | 野生资源较少，栽培资源丰富。药材来源于野生和栽培。

| 采收加工 | 夏、秋季采收，晒干。

| 功能主治 | 甘，平。补气润肺，活血，渗湿利尿。用于五劳七伤，跌打损伤，小便不利，湿热腹泻。

| 用法用量 | 内服煎汤，9 ~ 15 g。

| 凭证标本号 | 440783200103023LY。

桑科 Moraceae 榕属 *Ficus*

台湾榕 *Ficus formosana* Maxim.

| 药 材 名 | 细叶牛奶树（药用部位：全株。别名：石榨、长叶牛奶树）。

| 形态特征 | 灌木。小枝、叶柄、叶脉幼时疏被短柔毛。枝纤细，节短。叶膜质，倒披针形，全缘或在中部以上有疏钝齿裂，顶部渐尖，中部以下渐窄至基部成狭楔形，干后叶面墨绿色，背面淡绿色，中脉不明显。榕果单生于叶腋，卵状球形，成熟时绿色带红色，顶部脐状凸起，基部收缩为纤细短柄，基生苞片 3，边缘齿状，总梗长 2 ～ 3 mm，纤细；瘦果球形，光滑。花期 4 ～ 7 月。

| 生境分布 | 生于溪边、旷野的疏林或灌丛中。分布于广东南部以外的各个地区。

| 资源情况 | 野生资源较少，栽培资源丰富。药材来源于野生和栽培。

| 采收加工 | 夏、秋季采收，晒干。

| 功能主治 | 甘、微涩，平。柔肝和脾，清热利湿。用于急、慢性肝炎，腰脊扭伤，急性肾炎，尿路感染。

| 用法用量 | 内服煎汤，10 ~ 30 g。外用适量，捣敷。

| 凭证标本号 | 441523190514007LY。

桑科 Moraceae 榕属 *Ficus*

窄叶台湾榕 *Ficus formosana* Maxim. var. *shimadae* (Hayata) W. C. Chen

| 药 材 名 | 细叶台湾榕（药用部位：根或根皮。别名：奶汁树、狭叶台湾榕）。

| 形态特征 | 灌木。小枝、叶柄、叶脉幼时疏被短柔毛。枝纤细，节短。叶膜质，线状披针形，全缘，顶部渐尖，中部以下渐窄至基部成狭楔形，干后叶面墨绿色，背面淡绿色。榕果单生于叶腋，卵状球形，成熟时绿色带红色，顶部有脐状突起，基部收缩为纤细短柄；瘦果球形，光滑。花期 4 ~ 7 月。

| 生境分布 | 生于山溪、河旁或山谷林下阴湿处。分布于广东从化、曲江、始兴、翁源、乳源、新丰、乐昌、南雄、南澳、恩平、信宜、怀集、封开、博罗、惠东、龙门、大埔、平远、蕉岭、连平、和平、阳山、连山、英德及河源（市区）等。

| 资源情况 | 野生资源较少，栽培资源丰富。药材来源于野生和栽培。

| 采收加工 | 夏、秋季采收，晒干。

| 功能主治 | 甘、微涩，平。柔肝和脾，清热利湿。用于小儿疳积，阳痿，胃痛。

| 用法用量 | 内服煎汤，20 ~ 30 g。

| 凭证标本号 | 440224180529014LY。

桑科 Moraceae 榕属 *Ficus*

异叶榕 *Ficus heteromorpha* Hemsl.

| 药 材 名 | 奶浆木（药用部位：全株或根）、奶浆果（药用部位：果实。别名：大山枇杷、牛奶子、异叶天仙果）。

| 形态特征 | 落叶灌木或小乔木。小枝红褐色，节短。叶多形，叶面略粗糙，背面有细小钟乳体，全缘或微波状。榕果成对生于短枝叶腋，稀单生，无总梗，球形或圆锥状球形，光滑，直径 6 ~ 10 mm，成熟时紫黑色，顶生苞片脐状，基生苞片 3，卵圆形，雄花和瘿花生于同一榕果中；雄花散生于内壁，花被片 4 ~ 5，匙形，雄蕊 2 ~ 3；瘿花花被片 5 ~ 6，子房光滑，花柱短；雌花花被片 4 ~ 5，包围子房，花柱侧生，柱头画笔状，被柔毛。瘦果光滑。花期 4 ~ 5 月，果期 5 ~ 7 月。

| 生境分布 | 生于山谷或山坡林中。分布于广东乳源、乐昌、南雄、怀集、龙门、

阳山、连山、连州等。

| 资源情况 | 野生资源较少，栽培资源丰富。药材来源于野生和栽培。

| 采收加工 | **奶浆木：**全年均可采收，鲜用或晒干。

奶浆果：夏、秋季采收，晒干。

| 药材性状 | **奶浆木：**本品树皮灰褐色，小枝红褐色，节短。叶多形，琴形、椭圆形或椭圆状披针形，长 10 ~ 18 cm，宽 2 ~ 7 cm，先端渐尖或为尾状，基部圆形或浅心形，侧脉 6 ~ 15 对，红色；叶柄长 1.5 ~ 6 cm，红色；托叶披针形，长约 1 cm。

奶浆果：本品榕果近球形，直径约 1 cm，先端有圆形突起，表面淡棕色至深棕色。剖开后花序托肉质，内壁上着生多数瘦果，包藏于花被内。瘦果细小，近卵形，稍压扁，长约 3 mm，先端尖而略弯，基部圆钝，表面黄棕色，光滑。气微，味微甘。

| 功能主治 | **奶浆木：**苦、涩，凉。祛风除湿，化痰止咳，活血，解毒。用于风湿痹痛，咳嗽，跌打损伤，毒蛇咬伤。

奶浆果：酸、甘，温。下乳补血，健脾补气。用于脾虚胃弱，缺乳症。

| 用法用量 | **奶浆木：**内服煎汤，15 ~ 30 g；或浸酒。外用适量，煎汤洗。

奶浆果：内服炖肉食，30 ~ 60 g，鲜品 500 g。

| 凭证标本号 | 441882180505011LY。

桑科 Moraceae 榕属 *Ficus*

粗叶榕 *Ficus hirta* Vahl

| 药材名 | 五指毛桃（药用部位：根。别名：掌叶榕、佛掌榕、大叶牛奶子）。

| 形态特征 | 灌木或小乔木。全株被锈色或褐色贴伏硬毛，有白色汁液。根皮红棕色。嫩枝中空，有托叶脱落后留下的环状痕迹。单叶互生，纸质，常长圆状披针形或卵状椭圆形，先端短尖或渐尖，基部圆形或心形，边缘有锯齿。花单性，雌雄同株，生于球形、肉质的花托内壁（隐头花序）；花序直径 1 ~ 2 cm，红褐色，密被硬毛，口部有许多苞片形成的脐状突起，成对腋生或生于落叶叶痕之上。花果期几全年。

| 生境分布 | 生于山坡、山谷疏林中或林边、村旁旷地上。广东各地均有分布。

| **资源情况** | 野生资源较少，栽培资源丰富。药材来源于野生和栽培。

| **采收加工** | 全年均可采收，洗净，切段或片，晒干。

| **药材性状** | 本品略呈圆柱形，有分枝。表面褐色或灰棕色，有纵皱纹，可见明显的须根痕及横向皮孔；部分栓皮脱落后露出黄白色皮部；质坚硬，不易折断，断面呈纤维性，似麻皮样。饮片为不规则的块片或短段，片厚 0.5 ~ 1 cm，短段长 2 ~ 4 cm，皮薄，木部呈黄白色，有众多同心环，可见放射状纹理，皮部与木部易分离。气微香，味甘。以皮厚、气香者为佳。

| **功能主治** | 甘，微温。健脾化湿，行气化痰，舒筋活络。用于脾虚浮肿，食少无力，肺痨咳嗽，盗汗，带下，产后无乳，风湿痹痛，水肿，肝硬化腹水，肝炎，跌打损伤。

| **用法用量** | 内服煎汤，60 ~ 90 g。

| **凭证标本号** | 441523200110006LY。

桑科 Moraceae 榕属 *Ficus*

对叶榕 *Ficus hispida* Linn. f.

| 药 材 名 | 牛奶树（药用部位：根、叶、果实。别名：牛奶子、多糯树、稔水冬瓜）。

| 形态特征 | 小乔木。植株被糙毛。叶通常对生，厚纸质，卵状长椭圆形或倒卵状矩圆形，全缘或有钝齿，先端急尖或短尖，基部圆形或近楔形，表面粗糙，被短粗毛。榕果腋生或生于落叶枝上，或生于老茎发出的下垂枝上，陀螺形，成熟时黄色，直径 1.5 ~ 2.5 cm，散生侧生苞片和粗毛；雄花生于榕果内壁口部，多数，花被片 3，薄膜状，雄蕊 1；瘿花无花被，花柱近顶生，粗短；雌花无花被，柱头侧生，被毛。花果期 6 ~ 7 月。

| 生境分布 | 生于山谷、溪边、疏林或灌丛中、池塘边或河边近水处。广东各地

均有分布。

| 资源情况 | 野生资源较少，栽培资源丰富。药材来源于野生和栽培。

| 采收加工 | 夏、秋季采收，晒干。

| 药材性状 | 本品果实扁球形或近陀螺形，直径 1 ～ 2.5 cm，先端有圆形突起，表面深黄棕色，剖开后内含多数瘦果。瘦果长圆形，长约 2 mm，表面暗红色，光滑。气微，味微甜。

| 功能主治 | 淡，凉。清热祛湿，消积化痰。用于感冒，气管炎，消化不良，痢疾，风湿性关节炎。

| 用法用量 | 内服煎汤，15 ～ 30 g。

| 凭证标本号 | 440783190608006LY。

桑科 Moraceae 榕属 *Ficus*

榕树 *Ficus microcarpa* Linn. f.

| 药材名 | 小叶榕（药用部位：叶、气生根）。

| 形态特征 | 常绿大乔木。有气生根。树皮深灰色。叶互生，革质而带肉质，椭圆形、卵状椭圆形或倒卵形，先端短尖而钝，基部狭，全缘，表面深绿色，干时暗褐绿色，有光泽；叶柄长 0.5 ~ 1 cm；托叶披针形，长约 8 mm。花序单个或成对腋生或生于已落叶的叶腋。榕果成熟时黄色或微红色，球形，直径 5 ~ 10 mm，基部的苞片阔卵形，宿存，无总花梗。花果期全年。

| 生境分布 | 生于村边、路旁或丘陵疏林中。广东各地均有分布。

| 资源情况 | 野生资源较少，栽培资源丰富。药材来源于野生和栽培。

| 采收加工 | 全年均可采收，晒干。

| 药材性状 | 本品气生根呈长条状，长达 100 cm，粗根直径 0.5 ～ 1 cm，幼根纤细如粗线状，常有分枝，支根有时 6 ～ 7 丛生。表面红褐色，有纵皱纹，上半部或全体密布黄白色皮孔，粗根上更明显。质柔韧，难折断，断面木部棕色。气微，味涩。以根条纤细、呈须状、表面红棕色者为佳。

| 功能主治 | 叶，微苦、涩，凉。清热，解表，化湿。用于流行性感冒，疟疾，支气管炎，急性肠炎，细菌性痢疾，百日咳。气生根，微苦、涩，凉。发汗，清热，透疹。用于感冒高热，扁桃体炎，风湿骨痛，跌打损伤。

| 用法用量 | 内服煎汤，叶 9 ～ 15 g，气生根 15 ～ 30 g。

| 凭证标本号 | 440882180429721LY。

桑科 Moraceae 榕属 *Ficus*

琴叶榕 *Ficus pandurata* Hance

| 药 材 名 | 牛奶子树（药用部位：根、叶。别名：铁牛入石、倒吊葫芦）。

| 形态特征 | 小灌木。小枝、嫩叶幼时被白色柔毛。叶纸质，提琴形或倒卵形，先端急尖有短尖，基部圆形至宽楔形，中部缢缩，表面无毛，背面叶脉有疏毛和小瘤点。榕果单生于叶腋，鲜红色，椭圆球形或球形，直径 6 ~ 10 mm，顶部呈脐状凸起；雄花有柄，生于榕果内壁口部，花被片 4，线形，雄蕊 3，稀为 2，长短不一；瘿花有柄或无柄，花被片 3 ~ 4，倒披针形至线形，子房近球形，花柱侧生，很短；雌花花被片 3 ~ 4，椭圆形，花柱侧生，细长，柱头漏斗形。花期 6 ~ 8 月。

| 生境分布 | 生于山野间或村庄附近旷地。广东各地均有分布。

| 资源情况 | 野生资源较少，栽培资源丰富。药材来源于野生和栽培。

| 采收加工 | 全年均可采收根，夏、秋季采收叶，鲜用或晒干。

| 功能主治 | 甘，温。行气活血，舒筋活络。

| 用法用量 | 内服煎汤，9 ~ 15 g。外用适量，鲜品捣敷。

| 凭证标本号 | 441523190918033LY。

桑科 Moraceae 榕属 *Ficus*

狭全缘榕 *Ficus pandurata* Hance var. *angustifolia* Cheng

| 药 材 名 | 条叶榕（药用部位：全株。别名：竹叶榕）。

| 形态特征 | 小灌木。叶幼时被白色柔毛。叶线状披针形，长可达 16 cm，先端渐尖，基部楔形，表面无毛，背面叶脉有疏毛和小瘤点，侧脉 8 ~ 18 对；叶柄疏被毛；托叶披针形，迟落。榕果单生于叶腋，鲜红色，椭圆球形或球形，直径 6 ~ 10 mm，顶部呈脐状凸起，基生苞片 3，卵形，纤细；雄花有柄，生于榕果内壁口部，花被片 4，线形，雄蕊 3，稀为 2，长短不一；瘿花有柄或无柄，花被片 3 ~ 4，倒披针形至线形，子房近球形，花柱侧生；雌花花被片 3 ~ 4，柱头漏斗形。花期 6 ~ 8 月。

| 生境分布 | 生于山谷溪边林中或旷野。广东各地均有分布。

| 资源情况 | 野生资源较少，栽培资源丰富。药材来源于野生和栽培。

| 采收加工 | 夏、秋季采收，晒干。

| 功能主治 | 祛痰止咳，行气活血，祛风除湿。

| 用法用量 | 内服煎汤，9 ~ 15 g。

| 凭证标本号 | 440783200328016LY。

桑科 Moraceae 榕属 *Ficus*

全缘榕 *Ficus pandurata* Hance var. *holophylla* Migo

| 药 材 名 | 全缘琴叶榕（药用部位：根、叶。别名：全叶榕）。

| 形态特征 | 小灌木。叶倒卵状披针形或披针形，先端渐尖，表面无毛，背面叶脉有疏毛和小瘤点。榕果单生于叶腋，鲜红色，椭圆形或球形，直径 6 ~ 10 mm，顶部有脐状突起；雄花生于榕果内壁口部，花被片 4，线形，雄蕊 3，稀为 2，长短不一；瘿花有柄或无柄，花被片 3 ~ 4，倒披针形至线形，子房近球形，花柱侧生，很短；雌花花被片 3 ~ 4，椭圆形，花柱侧生，细长，柱头漏斗形。花期 6 ~ 8 月。

| 生境分布 | 生于山谷溪边林中或旷野。分布于广东乐昌、乳源、连州、连山、阳山、翁源、南澳、阳春及深圳（市区）等。

| 资源情况 | 野生资源较少，栽培资源一般。药材来源于野生和栽培。

| 采收加工 | 全年均可采收根，夏季采收叶，鲜用或晒干。

| 功能主治 | 辛、微涩，温。祛风利湿，清热解毒。用于腰痛，黄疸，疟疾，百日咳，背痈，乳痈，乳汁不足，齿龈肿痛，毒蛇咬伤。

| 用法用量 | 内服煎汤，15 ~ 30 g。外用适量，鲜品捣敷。

| 凭证标本号 | 440783200328003LY。

桑科 Moraceae 榕属 *Ficus*

薜荔 *Ficus pumila* Linn.

| 药 材 名 | 凉粉果（药用部位：果实、藤茎。别名：王不留行、爬墙虎、木馒头）。

| 形态特征 | 多年生木质藤本。枝、叶均含白色乳汁。匍匐枝以气生根攀缘贴生于墙壁上、树干上或岩石上，着生于其上的叶小，纸质或薄革质，心状卵形，长 1 ~ 2.5 cm，基部偏斜；常无气根，其上的叶大而厚革质、卵状椭圆形或长圆状椭圆形，先端短尖或钝，基部微心形，全缘，上面无毛，下面被短柔毛。隐头花序为梨形、倒卵形或圆球形，直径 2.5 ~ 6.5 cm，顶部平截，中央有脐状突起并穿孔，向下渐收缩连结于粗大、长 0.5 ~ 1 cm 的花序梗上，成熟时黄绿色。花果期 5 ~ 10 月。

| 生境分布 | 生于村郊、旷野，常攀附于残墙破壁或树上。广东各地均有分布。

| 资源情况 | 野生资源较少，栽培资源丰富。药材来源于野生和栽培。

| 采收加工 | 秋季采收果实，纵切 2 或 4 瓣，挖去瘦果，晒干。

| 药材性状 | 本品果实形态似梨，常纵剖成 2 或 4 瓣，瓣呈瓢状或槽状，长 3.5 ~ 6.5 cm。外表面灰绿色或暗棕紫色，略皱缩或粗糙；内表面红棕色或棕褐色，常黏附有未除净的小瘦果。质硬而脆，易折断。气微弱，味淡、微涩。以个大、表面灰黄色、去净瘦果者为佳。

| 功能主治 | 果实，甘，平。补肾固精，活血，催乳。用于遗精，阳痿，乳汁不通，闭经，乳糜尿。藤茎，苦，平。祛风通络，活血止痛。

| 用法用量 | 内服煎汤，15 ~ 30 g。

| 凭证标本号 | 445224190511020LY。

桑科 Moraceae 榕属 *Ficus*

舶梨榕 *Ficus pyriformis* Hk. et Arn.

| 药 材 名 | 梨状牛奶子（药用部位：根、茎。别名：梨果榕、毛脉舶梨榕）。

| 形态特征 | 灌木。小枝被糙毛。叶纸质，倒披针形至倒卵状披针形，全缘，稍背卷，表面光绿色，背面微被柔毛和细小疣点；托叶披针形，红色，无毛，长约 1 cm。榕果单生于叶腋，梨形，直径 2 ~ 3 cm，无毛，有白斑；雄花生于榕果内壁口部，花被片 3 ~ 4，披针形；雄蕊 2，花药卵圆形；瘿花花被片 4，线形，子房球形，花柱侧生；雄蕊生于另一植株榕果内壁，花被片 3 ~ 4，子房肾形，花柱侧生，细长。瘦果表面有瘤体。花期 12 月至翌年 6 月。

| 生境分布 | 生于中海拔的山谷、沟边。分布于广东除南部以外的各个地区。

| 资源情况 | 野生资源较少，栽培资源丰富。药材来源于野生和栽培。

| 采收加工 | 夏、秋季采收，切片，晒干。

| 功能主治 | 涩，凉。清热止痛，利水通淋。茎用于水肿，小便淋痛，胃痛。

| 用法用量 | 内服煎汤，15 ~ 30 g。

| 凭证标本号 | 441523190515015LY。

桑科 Moraceae 榕属 *Ficus*

菩提树 *Ficus religiosa* Linn.

| 药 材 名 | 印度菩提树（药用部位：树皮、花、果实。别名：思维树）。

| 形态特征 | 大乔木。树皮灰色，平滑或微具纵纹。冠幅广展。小枝灰褐色，幼时被微柔毛。叶革质，三角状卵形。榕果球形至扁球形，直径 1 ~ 1.5 cm，成熟时红色，光滑；雄花、瘿花和雌花生于同一榕果内壁；雄花少，生于榕果近口部，无柄，花被 2 ~ 3 裂，内卷，雄蕊 1，花丝短；瘿花具柄，花被 3 ~ 4 裂，子房光滑，球形，花柱短，柱头膨大，2 裂；雌花无柄，花被片 4，宽披针形，子房光滑，球形，花柱纤细，柱头狭窄。花期 3 ~ 4 月，果期 5 ~ 6 月。

| 生境分布 | 栽培种。广东各地均有栽培。

| 资源情况 | 栽培资源丰富。药材来源于栽培。

| 采收加工 | 夏、秋季采收，晒干。

| 功能主治 | 树皮，固齿，止痛。用于牙痛，牙齿浮动。花、果实，发汗解热，镇静。

| 用法用量 | 内服煎汤，15 ~ 30 g。

| 凭证标本号 | 445224190728008LY。

桑科 Moraceae 榕属 *Ficus*

珍珠莲 *Ficus sarmentosa* Buch.-Ham. ex J. E. Sm. var. *henryi* (King ex D. Oliv.) Corner

| 药 材 名 | 岩石榴（药用部位：果实。别名：冰粉树、凉粉树）。

| 形态特征 | 木质攀缘匍匐藤状灌木。幼枝密被褐色长柔毛。叶革质，卵状椭圆形，先端渐尖，基部圆形至楔形，叶面无毛，背面密被褐色柔毛或长柔毛，基生侧脉延长，侧脉 5 ~ 7 对，小脉网结成蜂窝状；叶柄长 5 ~ 10 mm，被毛。榕果成对腋生，圆锥形，直径 1 ~ 1.5 cm，表面密被褐色长柔毛，成长后毛脱落，顶生苞片直立，长约 3 mm，基生苞片卵状披针形，长 3 ~ 6 mm。榕果无总梗或具短梗。

| 生境分布 | 生于山地灌丛中。分布于广东增城、从化、曲江、始兴、仁化、翁源、乳源、乐昌、南雄、信宜、怀集、高要、龙门、大埔、五华、兴宁、紫金、连平、阳山、连山、连南、英德、连州、饶平、罗定及茂名

（市区）、惠州（市区）、梅州（市区）、云浮（市区）、阳江（市区）等。

| 资源情况 | 野生资源较少，栽培资源丰富。药材来源于野生和栽培。

| 采收加工 | 夏、秋季采收，晒干。

| 功能主治 | 甘、涩，平。消肿止痛，止血。用于睾丸偏坠，风湿性关节炎，痛风，跌打损伤，内痔便血。

| 用法用量 | 内服煎汤，9 ~ 15 g。

| 凭证标本号 | 441523200105017LY。

桑科 Moraceae 榕属 *Ficus*

爬藤榕 *Ficus sarmentosa* Buch.-Ham. ex J. E. Sm. var. *impressa* (Champ.) Corner

| 药 材 名 | 纽榕（药用部位：根、茎）。

| 形态特征 | 藤状匍匐灌木。叶革质，披针形，长 4 ~ 7 cm，宽 1 ~ 2 cm，先端渐尖，基部钝，背面白色至浅灰褐色，侧脉 6 ~ 8 对，网脉明显；叶柄长 5 ~ 10 mm。榕果成对腋生或生于落叶枝叶腋，球形，直径 7 ~ 10 mm，幼时被柔毛。花期 4 ~ 5 月，果期 6 ~ 7 月。

| 生境分布 | 生于山地较阴湿处。分布于广东增城、乳源、乐昌、怀集、封开、高要、博罗、大埔、和平、阳春、揭西、罗定及梅州（市区）、深圳（市区）等。

| 资源情况 | 野生资源较少，栽培资源丰富。药材来源于野生和栽培。

| 采收加工 | 全年均可采收，鲜用或晒干。

| 功能主治 | 甘、辛，温。祛风除湿，行气活血，消肿止痛。用于风湿痹痛，神经性头痛，小儿惊风，胃痛，跌打损伤。

| 用法用量 | 内服煎汤，30 ~ 60 g；或炖肉。

| 凭证标本号 | 440281190427028LY。

桑科 Moraceae 榕属 *Ficus*

裂掌榕 *Ficus simplicissima* Lour.

| 药 材 名 | 极简榕（药用部位：根。别名：五指毛桃）、五指毛桃果（药用部位：果实）。

| 形态特征 | 灌木或小乔木。茎圆柱形，干后具槽纹；嫩枝薄被钩状短粗毛。叶倒卵形至长圆形，先端急尖或渐尖，基部心形，常 3 ~ 5 深裂，有时全缘或具疏浅锯齿。榕果成对腋生或簇生于无叶枝上，无梗，球形，直径 1 ~ 1.5 cm，表面疏被钩状短毛，基生苞片 3，卵状三角形；瘦果近球形。本种比较特殊，毛全部为钩状。花果期 4 ~ 8 月。

| 生境分布 | 生于低海拔山坡林中。分布于广东翁源、信宜、蕉岭、连山及广州（市区）等。

| 资源情况 | 野生资源较少，栽培资源丰富。药材来源于野生和栽培。

| 采收加工 | **极简榕：**夏、秋季采收，晒干。

五指毛桃果：秋季果实成熟时采摘，切片，鲜用或晒干。

| 药材性状 | **极简榕：**本品略呈圆柱形，有分枝，长短不一，直径 0.2 ~ 2.5 cm，表面灰棕色或褐色，有纵皱纹，可见明显的横向皮孔及须根痕；部分栓皮脱落后露出黄色皮部；质坚硬，难折断，断面呈纤维性。饮片通常厚 1 ~ 1.5 cm，皮薄，木部呈黄白色，有众多同心环，可见放射状纹理，皮部与木部易分离。气微香，味甘。

| 功能主治 | **极简榕：**甘，平。健脾化湿，行气化痰，舒筋活络。

五指毛桃果：生津通便，催乳。治津少便秘，产后缺乳。

| 用法用量 | 内服煎汤，15 ~ 50 g。

桑科 Moraceae 榕属 *Ficus*

竹叶榕 *Ficus stenophylla* Hemsl.

| 药 材 名 | 狭叶榕（药用部位：全株。别名：水稻清、竹叶牛奶树、水边柳）。

| 形态特征 | 小灌木。小枝散生灰白色硬毛，节间短。叶纸质，干后灰绿色，线状披针形，先端渐尖，基部楔形至近圆形，叶面无毛，背面有小瘤体，全缘，背卷；托叶披针形，红色，无毛，长约 8 mm；叶柄长 3 ~ 7 mm。榕果椭圆状球形，表面稍被柔毛，成熟时深红色，先端有脐状突起，基生苞片三角形，宿存，总梗长 20 ~ 40 mm；雄花和瘿花同生于雄株榕果中；雌花生于另一植株榕果中，近无柄。瘦果透镜状，顶部具棱骨，一侧微凹入，花柱侧生，纤细。花果期 5 ~ 7 月。

| 生境分布 | 生于山谷、小河、溪边较阳处。分布于广东翁源、乳源、新丰、乐昌、信宜、封开、和平、阳山、连山、英德、连州及阳江（市区）、

清远（市区）、广州（市区）等。

| 资源情况 | 野生资源较少，栽培资源丰富。药材来源于野生和栽培。

| 采收加工 | 夏、秋季采收，晒干。

| 药材性状 | 本品呈红褐色，粗糙，节间短。

| 功能主治 | 甘、苦，温。祛痰止咳，行气活血，祛风除湿。用于咳嗽，胸痛，跌打肿痛，肾炎，风湿骨痛，乳少。

| 用法用量 | 内服煎汤，30 ~ 60 g。

| 凭证标本号 | 441823190722010LY。

桑科 Moraceae 榕属 *Ficus*

笔管榕 *Ficus subpisocarpa* Gagnep.

| 药 材 名 |

笔管树（药用部位：根、叶。别名：雀榕）。

| 形态特征 |

落叶乔木。树皮黑褐色。小枝淡红色，无毛。叶互生或簇生，近纸质，无毛，椭圆形至长圆形，先端短渐尖，基部圆形，全缘或微波状，侧脉 7 ~ 9 对。榕果单生、对生或簇生于叶腋或无叶枝上，扁球形，直径 5 ~ 8 mm，成熟时紫黑色，顶部微下陷；雄花、瘿花、雌花生于同一榕果内；雄花很少，雄蕊 1，花药卵圆形，花丝短；雌花无柄或有柄，花被片 3；瘿花多数，与雌花相似，仅子房有粗长的柄，柱头线形。花期 4 ~ 6 月。

| 生境分布 |

生于低海拔山坡林中或河岸。广东各地均有栽培。

| 资源情况 |

野生资源较少，栽培资源丰富。药材来源于野生和栽培。

| 采收加工 |

夏、秋季采收，晒干或鲜用。

| 功能主治 | 甘、微苦，平。清热解毒。用于漆疮，鹅儿疮，乳腺炎。

| 用法用量 | 内服酒、水各半煎汤，10 ~ 15 g。外用适量，加生姜 5 片煎汤熏洗；或鲜叶捣汁调蜂蜜或少许人乳涂。

桑科 Moraceae 榕属 *Ficus*

斜叶榕 *Ficus tinctoria* G. Forst. f. subsp. *gibbosa* (Bl.) Corner

| 药材名 | 马勒（药用部位：树皮、叶）。

| 形态特征 | 小乔木。幼时多附生。叶薄革质，排为两列，椭圆形至卵状椭圆形，全缘，一侧稍宽，两面无毛，背面略粗糙；托叶钻状披针形，厚。榕果球形或球状梨形，单生或成对腋生，直径约 10 mm，略粗糙，疏生小瘤体，先端脐状，基部收缩成柄，总梗极短；雄花生于榕果内壁近口部，花被片 4 ～ 6，线形，雄蕊 1；瘿花与雄花花被相似；雌花生于另一植株榕果内，花被片 4。瘦果椭圆形，具龙骨，表面有瘤体，花柱侧生，延长，柱头膨大。花果期冬季至翌年 6 月。

| 生境分布 | 生于村郊废墙或旷地上，常盘绕其他树上。分布于广东徐闻、信宜、阳春、英德及云浮（市区）、惠州（市区）、阳江（市区）、广州（市

区）、深圳（市区）、茂名（市区）等。

| 资源情况 | 野生资源较少，栽培资源丰富。药材来源于野生和栽培。

| 采收加工 | 夏、秋季采收，晒干。

| 药材性状 | 本品树皮呈半卷筒状，长短不等，厚 1 ~ 2 mm。外表面灰棕色，具纵皱纹，皮孔横向，栓皮易脱落露出鲜黄色皮部；内表面白色，具细密纵皱纹。质稍脆，易折断。气微，味淡。

| 功能主治 | 树皮，清热利湿，解毒。用于感冒，高热惊厥，泄泻，痢疾，目赤肿痛。叶，祛痰止咳，活血通络。用于咳嗽，风湿痹痛，跌打损伤。

| 用法用量 | 内服煎汤，15 ~ 30 g。外用适量，煎汤热敷。

| 凭证标本号 | 440783200103024LY。

桑科 Moraceae 榕属 *Ficus*

青果榕 *Ficus variegata* Bl. var. *chlorocarpa* (Benth.) King

| 药 材 名 |

幹花榕（药用部位：根、叶）。

| 形态特征 |

乔木。树皮灰褐色，平滑。胸径 10 ~ 15（~ 17）cm。幼枝绿色，微被柔毛。叶互生，厚纸质，广卵形至卵状椭圆形，长 10 ~ 17 cm，先端渐尖或钝，基部圆形至浅心形，边缘波状或具浅疏锯齿。榕果簇生于老茎发出的瘤状短枝上，球形，直径 2.5 ~ 3 cm，顶部微压扁，顶生苞片卵圆形，脐状微凸起，基生苞片 3，早落，残存环状疤痕，成熟榕果红色，有绿色条纹和斑点；总梗长 2 ~ 4 cm；雄花生于榕果内壁口部，瘿花生于内壁近口部；雌花生于雌植株榕果内壁。花期冬季。

| 生境分布 |

生于低海拔至中海拔的丘陵或山地疏林中。分布于广东陆丰、惠东、惠阳、博罗、四会、台山、阳春、廉江、徐闻及广州（市区）、深圳（市区）、珠海（市区）、清远（市区）、肇庆（市区）、茂名（市区）等。

| **资源情况** | 野生资源较丰富，栽培资源丰富。药材来源于野生和栽培。

| **采收加工** | 全年均可采收。

| **功能主治** | 苦，寒。清热泻火。用于乳腺炎。

| **凭证标本号** | 441523190921024LY。

桑科 Moraceae 榕属 *Ficus*

变叶榕 *Ficus variolosa* Lindl. ex Benth.

| 药 材 名 | 赌博赖（药用部位：根。别名：击常木、金不换）。

| 形态特征 | 灌木或小乔木。树皮灰褐色。小枝节间短。叶薄革质，狭椭圆形至椭圆状披针形，先端钝或钝尖，基部楔形，全缘，侧脉 7 ~ 11（~ 15）对，与中脉略成直角展出；叶柄长 6 ~ 10 mm；托叶长三角形，长约 8 mm。榕果成对或单生于叶腋，球形，直径 10 ~ 12 mm，表面有瘤体，顶部苞片脐状凸起，基生苞片 3，卵状三角形；瘿花子房球形，花柱短，侧生；雌花生于另一植株榕果内壁，花被片 3 ~ 4，子房肾形，花柱侧生，细长。瘦果表面有瘤体。花期 12 月至翌年 6 月。

| 生境分布 | 生于丘陵、平原或山地疏林中。分布于广东南部以外的各个地区。

| 资源情况 | 野生资源较少，栽培资源丰富。药材来源于野生和栽培。

| 采收加工 | 夏、秋季采收，晒干。

| 药材性状 | 本品呈圆柱形，长短不等，直径 0.8 ~ 2 cm。表面深棕色，有横向皮孔，栓皮易脱落，露出淡红棕色的皮部。质硬，断面皮部淡棕色，木部淡黄棕色，具细密同心环纹。气微，味淡。

| 功能主治 | 微苦、辛，微温。补脾健胃，祛风除湿。用于风湿痹痛，胃痛，疖肿，跌打损伤，乳汁不下。

| 用法用量 | 内服煎汤，30 ~ 60 g。孕妇禁用。

| 凭证标本号 | 441825190707011LY。

桑科 Moraceae 榕属 *Ficus*

黄葛树 *Ficus virens* Ait. var. *sublanceolata* (Miq.) Corner

| 药 材 名 | 大叶榕（药用部位：根及根茎、叶。别名：马尾榕）。

| 形态特征 | 落叶或半落叶乔木。叶薄革质或皮纸质，卵状披针形至椭圆状卵形，先端渐尖，基部钝圆或楔形至浅心形，全缘，干后叶面无光泽。榕果单生、成对腋生或簇生于已落叶枝叶腋，球形，直径 7 ~ 12 mm，成熟时紫红色，基生苞片 3，细小，无总梗；雄花、瘿花、雌花生于同一榕果内；雄花无柄，少数，生于榕果内壁近口部，雄蕊 1，花药广卵形，花丝短；瘿花具柄，花被片 3 ~ 4，花柱侧生，短于子房；雌花与瘿花相似，花柱长于子房。瘦果表面有皱纹。

| 生境分布 | 生于山谷、溪边或村郊疏林中。广东各地均有分布。

| 资源情况 | 野生资源较少，栽培资源丰富。药材来源于野生和栽培。

| 采收加工 | 夏、秋季采收，晒干。

| 药材性状 | 本品根茎圆柱形，稍扭曲或有分枝。表面灰棕色，栓皮易脱落，栓皮脱落处暗棕色。质坚硬，难折断，断面纤维性，皮部较厚，暗棕色，木部可见小孔呈放射状排列。气微，味微甘、涩。以根粗壮、皮厚者为佳。

| 功能主治 | 微苦、涩，平。消肿止痛，止血，祛风活血。根及根茎用于风湿骨痛，感冒，扁桃体炎，眼结膜炎；叶外用于跌打肿痛。

| 用法用量 | 内服煎汤，20 ~ 30 g。

| 凭证标本号 | 441421180928401LY。

桑科 Moraceae 牛筋藤属 *Malaisia*

牛筋藤 *Malaisia scandens* (Lour.) Planch.

| 药 材 名 |

包饭果藤（药用部位：根）。

| 形态特征 |

攀缘灌木。幼枝被灰色短毛，小枝圆柱形，褐色，皮孔圆形，白色。叶互生，纸质，长椭圆形或椭圆状倒卵形。雄花无梗，花被 3 ~ 4 裂，裂片三角形，被柔毛，雄蕊与裂片同数而对生，花药近球形，退化雌蕊小。雌花序近球形，密被柔毛，直径约 6 mm；总花梗长约 10 mm，被毛；雌花花被壶形，子房内藏，花柱分枝为 2，丝状，长 10 ~ 13 mm，浅红色至深红色。核果卵圆形，长 6 ~ 8 mm，红色，无柄。花期春、夏季。

| 生境分布 |

生于丘陵灌丛中，通常攀缘于灌木或乔木上。分布于广东西部、南部沿海各地等。

| 资源情况 |

野生资源一般，栽培资源一般。药材来源于野生和栽培。

| 采收加工 | 全年均可采收。

| 功能主治 | 祛风湿，止痛，补血，利尿。用于风湿骨痛，贫血。

| 凭证标本号 | 440781190516021LY。

王晓兰提供

王晓兰提供

桑科 Moraceae 桑属 *Morus*

桑 *Morus alba* Linn.

| 药 材 名 | 桑白皮（药用部位：根皮）、桑椹（药用部位：果穗）、桑枝（药用部位：枝）、桑叶（药用部位：叶）。

| 形态特征 | 落叶灌木或小乔木。嫩枝略被柔毛。叶柔软，纸质，卵形或阔卵形。花小，单性，无瓣，排成腋生穗状花序。雄花序长 2 ~ 3.5 cm；雄花萼片近披针形；花药近球形，有腺体状附属物。雌花序长 6 ~ 12 mm；总花梗很长；雌花萼片阔倒卵形，有缘毛；花柱 2 裂达中部以下。聚花果肉质，由多数包藏于肉质萼片内的瘦果组成，长 1 ~ 2.5 cm，成熟时红色或紫色，很少白色。花期 4 ~ 5 月，果期 5 ~ 8 月。

| 生境分布 | 生于村边旷地等。广东各地均有栽培。

| 资源情况 | 野生资源较少，栽培资源丰富。药材来源于野生和栽培。

| 采收加工 | **桑白皮：**秋末叶落时至次春发芽前采收，刮去黄棕色粗皮，剥取根皮，晒干，切丝。

桑椹：5 ~ 6 月果穗变红色时采收，晒干或蒸后晒干。

桑枝：春末夏初采收，除去叶，晒干或趁鲜切片晒干。

桑叶：初霜后采收，除去杂质，干燥。

| 药材性状 | **桑叶：**本品多卷缩，完整的叶片具叶柄，展开呈卵形或阔卵形，长 5 ~ 15 cm，宽 4 ~ 11 cm。先端渐尖，基部心形，边缘有锯齿，有时不规则分裂。上表面平滑，棕绿色或黄绿色，下表面颜色略浅，叶脉凸起，小脉交织成网状，有时沿叶脉被短柔毛。质脆，易碎。气微，味淡、微苦、涩。以叶片细嫩、色青绿、无粗枝者为佳。

| 功能主治 | **桑白皮：**甘，寒。润肺平喘，利水消肿。用于肺热咳喘，水肿。

桑椹：甘、酸，凉。滋补肝肾，养血祛风。用于眩晕耳鸣，须发早白，血虚经闭，津伤口渴，内热消渴，肠燥便秘等。

桑枝：苦，平。祛风湿，通经络，行水气。用于风湿痹证。

桑叶：甘、苦，寒。疏风清热，清肝明目，凉血止血。用于风热感冒，肺热咳嗽，燥热咳嗽，肝阳眩晕，目赤昏花。

| 用法用量 | **桑叶：**内服煎汤，5 ~ 10 g。

| 凭证标本号 | 440783190718022LY。

桑科 Moraceae 桑属 *Morus*

鸡桑 *Morus australis* Poir.

| 药材名 | 小叶桑（药用部位：叶。别名：鸡爪叶桑、戟叶桑、细裂叶鸡桑）、小叶桑根（药用部位：根皮）。

| 形态特征 | 灌木或小乔木。树皮灰褐色。冬芽大，圆锥状卵圆形。叶卵形，先端急尖或尾状，基部楔形或心形，边缘具粗锯齿，不分裂或 3 ~ 5 裂，表面粗糙，密生短刺毛，背面疏被粗毛。雄花绿色，具短梗，花被片卵形，花药黄色。雌花序球形，长约 1 cm，密被白色柔毛；雌花花被片长圆形，暗绿色，花柱很长，柱头 2 裂，内面被柔毛。聚花果短椭圆形，直径约 1 cm，成熟时红色或暗紫色。花期 3 ~ 4 月，果期 4 ~ 5 月。

| 生境分布 | 多生于石灰岩地区的沟谷或山坡上。分布于广东曲江、始兴、仁化、

翁源、乳源、乐昌、怀集、高要、龙门、阳春及河源（市区）等。

| 资源情况 | 野生资源较少，栽培资源丰富。药材来源于野生和栽培。

| 采收加工 | **小叶桑、小叶桑根：**夏、秋季采收，晒干。

| 药材性状 | **小叶桑根：**本品呈带状，大小不一。外表面黄白色或白色，有时残存棕黄色或红黄色的栓皮斑块，具纵纹，较粗糙；内表面灰白色，较光滑，有纵裂痕。质柔韧，易纵折断，纵向撕裂则见纤维牵连，并有白粉飞出。气微，味淡。

| 功能主治 | **小叶桑、小叶桑根：**甘，寒。润肺平喘，利水消肿。用于肺热咳喘，面目浮肿，小便不利，高血压，糖尿病，跌打损伤。

| 用法用量 | 内服煎汤，6 ～ 12 g。

| 凭证标本号 | 441825210313026LY。

桑科 Moraceae 鹊肾树属 *Streblus*

鹊肾树 *Streblus asper* Lour.

| 药 材 名 | 鸡压树（药用部位：茎皮、叶。别名：鸡德树、百日晒）。

| 形态特征 | 乔木或灌木。树皮深灰色，粗糙。小枝被短硬毛，幼时皮孔明显。叶革质，椭圆状倒卵形或椭圆形。花雌雄异株或同株；雄花序头状，单生或成对腋生，有时在雄花序上生有 1 雌花，总花梗长 8 ~ 10 mm，表面被细柔毛；苞片长椭圆形；雄花近无梗，退化雌蕊圆锥状至柱形，顶部有瘤状突体；雌花具梗；子房球形，果时增长 6 ~ 12 mm。核果近球形，直径约 6 mm，成熟时黄色，不开裂，基部一侧不为肉质，宿存花被片包围核果。花期 2 ~ 4 月，果期 5 ~ 6 月。

| 生境分布 | 生于海拔 200 ~ 500 m 的旷野灌丛或疏林中。分布于广东徐闻、雷

州及阳江（市区）等。

| **资源情况** | 野生资源较少，栽培资源丰富。药材来源于野生和栽培。

| **采收加工** | 全年均可采收，鲜用。

| **功能主治** | 酸、涩，凉；有小毒。催顽痰。用于顽痰壅盛，吐泻，感冒，痢痧，蛇伤。

| **用法用量** | 内服煎汤，6 ~ 12 g。

| **凭证标本号** | 440882180501766LY。

桑科 Moraceae 鹊肾树属 *Streblus*

假鹊肾树 *Streblus indicus* (Bur.) Corner.

| 药材名 | 鸡下树（药用部位：茎皮。别名：鸡啄树）。

| 形态特征 | 乔木。有乳状树液。幼枝微被柔毛。叶革质，排为两列，椭圆状披针形，全缘，两面光亮，无毛，尖端钝尖或为尾状，基部楔形，侧脉羽状，多数。花白色微红，苞片 3，三角形，基部合生，花被片 5，覆瓦状排列，长约 4 mm，有缘毛，雄蕊 5，与花被片对生；雌花单生于叶腋或生于雄花序上，花梗长 10 ~ 15 mm，近圆形，有缘毛，长约 10 mm，花柱 2 深裂。核果球形，直径约 10 mm，中部以下渐狭，基部一边肉质，包围在增大的花被内。花期 10 ~ 11 月。

| 生境分布 | 生于旷野灌丛或疏林中。分布于广东西部至南部等。

| 资源情况 | 野生资源较少，栽培资源丰富。药材来源于野生和栽培。

| 采收加工 | 秋季采收，晒干。

| 药材性状 | 本品呈不规则扭曲状，长短、宽窄不一。外表面灰褐色或褐色，可见互生叶痕，内表面淡黄棕色，有纵纹。体轻，质韧，纤维性较强，不易折断，易纵向裂开。

| 功能主治 | 苦、微辛，温。化瘀止血，消肿止痛。

| 用法用量 | 内服煎汤，15 ~ 25 g；或研末，每份 5 ~ 15 g，分 3 次服。外用适量，研末撒。